HEART TO HAND

par Kathi Campbell

quiltmania

INTRODUCTION

Depuis que je suis toute petite, j'aime créer des choses.

J'ai commencé comme tous les enfants par faire des pâtés de sable mais je pense que j'ai passé plus de temps à les décorer que la plupart des autres enfants. J'aime aussi cuisiner cependant, il m'a fallu beaucoup de temps pour imaginer un plat qui ne ressemble, ni par l'aspect ni par le goût, à un pâté de sable !

POUR MOI, LA CUISINE ET LA PÂTISSERIE (OU EST-CE SIMPLEMENT LA DÉGUSTATION ?) VONT DE PAIR AVEC LE QUILTING. J'ADORE CUISINER ET JE SUIS CONNUE COMME LA FÉE DES DESSERTS.

Au lycée, j'ai organisé des expéditions dans des magasins de tissus discount pour réaliser des modèles de designers tendance qui étaient bien trop chers pour ma bourse. Et naturellement, j'ai brodé et cousu des appliqués à la mode hippie de l'époque sur des jeans taille basse. Je me souviens de mon premier quilt log cabin pour lequel j'avais fabriqué des bandes de tissus en les déchirant ; à cette époque, je n'avais pas entendu parler des cutters rotatifs ! J'ai aussi réalisé un quilt à partir de chutes de tissus d'ameublement en velours bon marché, récupérées sur mon lieu de travail où je cousais des rideaux pour camping cars. Et je l'ai terminé !

I've always liked to make things, even back when I was little. I guess I started like all kids with making mud pies, although I think I spent more time decorating them than most. I love to cook for real, too, but it took me much longer to figure out how to make something that didn't look and taste like a mud pie!

I love to cook. I think it goes hand in hand with quilting (or maybe it's just the eating) and bake (I'm known as the dessert devil in some parts).

Back in high school, it was trips to the discount fabric store to make whatever vogue designer fashion that was too expensive to buy. And of course, there were hiphugger jeans to be embroidered and appliquéd in the hippie fashion of the day. I remember my first log cabin quilt was made by ripping strips of fabric – I hadn't heard of rotary cutters yet. Then there was the quilt made from scraps of cheap velvet drapery material leftover from my job sewing curtains for van. I think I actually finished that one.

Lorsque j'attendais mon fils – mon premier né – j'ai fait un quilt blanc pour mon lit. Un quilt blanc avec un enfant ? Mais où avais-je donc la tête ! Il a vite été taché...

À la naissance de mes deux enfants, cela faisait déjà des mois que j'avais quitté mon emploi. Je me suis mise alors à customiser des objets : quilts pour berceaux, tours de lit, bavoirs, jouets en chiffon, décorations de Noël, etc. Le plus souvent, j'ai dessiné moi-même les ornementations mais parfois, j'ai utilisé des modèles achetés dans le commerce – quand ils étaient soldés à moitié prix, bien entendu ! J'aurais fait n'importe quoi pour rester à la maison avec mes enfants et ne pas reprendre un «vrai» travail ! J'ai fait l'acquisition d'une machine Pfaff d'occasion que j'utilise encore aujourd'hui.

Une fois mes enfants devenus grands, j'ai donné des cours dans la boutique de patchwork près de chez moi. Je concevais des modèles ou bien je me contentais d'améliorer un patron en lui ajoutant une touche personnelle. J'ai fabriqué des poupées, fait de la peinture décorative. J'ai aussi pris des cours de sténographie judiciaire. Je me disais que comme les enfants grandissaient, il était temps pour moi de revenir vers le monde du travail. Mes élèves n'arrêtaient pas de m'inciter à vendre mes dessins originaux en patrons mais pour moi, ils n'étaient pas assez bons. J'ai donc ignoré leurs conseils et suis devenue sténographe, métier que je n'ai pas exercé longtemps, malheureusement ou heureusement.

Depuis ma première année au lycée, j'ai des problèmes aux genoux : mes rotules se déboîtent régulièrement. Un coup, c'est le gauche, un coup c'est le droit ! Mais systématiquement, tous les ans, ma jambe est plâtrée de la cheville à la cuisse. Un jour, alors que je veillais tard – pour coudre naturellement – je me suis penchée pour ramasser un coupon de tissu tombé par terre. Mais ma rotule a flanché et je me suis effondrée. J'ai dû crier pour réveiller mon mari, et accessoirement mes enfants ; mon mari a remis la rotule en place et posé une attelle. Trop, c'est trop ! J'ai donc décidé de recourir à une opération chirurgicale reconstructrice. J'ai commencé par le genou le plus mal en point ; après quoi, j'étais censée revenir dans six mois pour opérer le deuxième genou. Ce que je n'ai pas fait évidemment !

Je suis retournée à l'école de sténographie, avec un genou réparé et l'autre non. J'entends des étudiants dire – pour plaisanter mais peut-être pas – qu'en cas

When I was pregnant with my son – my first child – I ignorantly made myself a white quilt for my bed. Really? A white quilt with kids? What was I thinking! That one didn't last long.

After having two kids and long ago quitting my "real" job, I started sewing custom things to sell – baby quilts & bumper sets, bibs, stuffed toys, Christmas ornaments, etc. Most of it I designed myself, but sometimes I used store-bought patterns (when they were half-price, of course!) Anything to stay at home with the kids and not go back to a "real" job! I bought myself a used Pfaff machine I still use to this day.

As the kids got older, I started teaching classes at the local quilt shop. Some I designed, some I just tweaked a pattern with my own style. I did doll classes, and I started tole painting as well. I also started taking court reporting classes. I figured since the kids were getting older, it was time to go back to a "real" job. My students kept telling me to put my original designs into patterns, but I never really felt they were good enough. So I ignored them, and ended up becoming a licensed court reporter, which (unfortunately, or fortunately) didn't last long.

I've always had bum knees – my knee caps would dislocate every year, starting when I was a freshman in high school. Sometimes it was the left, sometimes the right. But without fail, every year I was in a cast

de chute, il ne faut jamais se réceptionner sur les mains car sinon, c'est la fin de la carrière de sténographe. Après avoir exercé mon métier pendant environ un an, mon genou non opéré s'est déboîté une nouvelle fois et j'ai avancé instinctivement les mains pour amortir ma chute. Comme de juste, adieu la carrière de sténographe judiciaire – temporairement toutefois pensé-je – et en lieu et place, doigts cassés et nouvelle opération du genou. Après quelques mois de convalescence, je me suis enfin résolue à suivre les conseils de mes amis et de ma famille et de vendre mes dessins en patrons. J'imaginais que je pourrais concilier cette activité avec ma convalescence et pourquoi pas associer sténographie et création de patrons.

Vous devinez la suite... je n'ai jamais repris mon emploi de sténographe ! Et cela fait maintenant 18 ans que je crée et que je vends mes propres patrons !

Mon fils et ma fille ont pris leur envol et mon mari, qui a encouragé toutes mes entreprises – même la sténographie – est toujours à mes côtés ; il m'aide quand je panique à la dernière minute en préparant un modèle. Je prétends toujours mieux travailler dans l'urgence mais nous savons bien que les créatifs sont de vrais adeptes de la procrastination...

from my ankle to the top of my thigh. One year, I was up late (sewing, of course) and when I bent to pick up some fabric from the floor – bam! There goes the knee cap and I'm on the floor. Now I have to shout to wake up my husband, the kids by default, and my husband has to pop my kneecap back in place and put me in a splint. So I decided enough was enough, and I had reconstructive surgery. I did the worst knee first, and was supposed to go back in 6 months and do the second knee. Which, of course, I didn't.
Which brings us back to being a court reporter, with one good knee and one bad. Now, they tell you in court reporter school (jokingly, I assume, but maybe not) that when you fall, never use your hands to break your fall, or there goes your career. Well, after working my new "real" job as a court reporter for about a year, my un-surgeried knee went out and I instinctively used my hands to break the fall. So goodbye, court reporting career (temporarily, I thought); hello, broken finger and more knee surgery.
So after a few months recovering, I finally decided to take all my friends' and family's advice and pursue selling my designs in patterns. I figured I could do this while I finished healing up, and maybe do both court reporting and pattern

design. And you can guess how that ended up...I never did go back to court reporting. And I've been designing and selling my own patterns for about 18 years now. My son and daughter are all grown up and on their own, and my husband, who encouraged everything I wanted to do (even the court reporting) is still by my side, helping me when I'm freaking out at the last minute getting ready for a show (I always claim I work better under pressure, but we all know creative people are horrible procrastinators).

Nous avons déménagé plusieurs fois au fil des ans avant de nous établir finalement dans une région rurale du sud de la Californie. Nous y avons acheté un petit terrain pour bâtir une maison. À quelques mois d'emménager dans une maison louée près de là, avec les plans de notre nouvelle maison en main, nous avons été victimes d'un incendie allumé par un pyromane qui a profité du vent. Toutes les photos de famille étaient emballées dans un conteneur de stockage installé sur le terrain, avec tous les échantillons originaux de mes patrons. Nous avons quitté notre logement avec nos chiens, notre chat et quelques autres bagages. Nous pensions alors que le feu nous ignorerait et que nous serions de retour quelques heures plus tard. Mais le vent a tourné et les autorités nous ont évacués une semaine sans que nous sachions si nous retrouverions nos affaires à notre retour. Notre beau terrain planté de chênes magnifiques serait-il intact ? Il l'était, par chance. L'incendie qui a ravagé 14 000 hectares a épargné notre petit canyon, seule tache de verdure des alentours. Nos pompiers ont travaillé d'arrache-pied et n'ont perdu que quelques maisons.

Au cours des premières années suivantes, marquées par des coulées de boue, successives à l'incendie et qui ont entraîné d'autres évacuations, nous avons enfin construit notre maison ; si jamais quelqu'un prétend que la construction d'une maison est merveilleuse, riez-lui au nez ! J'ai mis mes talents créatifs à contribution – ils étaient disponibles et moins chers qu'un architecte – pour dessiner les plans de la maison. J'ai joué les entrepreneurs, surtout parce que mon mari prétend que j'aime commander les hommes ; au final, mon mari et moi avons effectué une bonne part du travail. Nous avons commis quelques erreurs, mais rien de grave heureusement. La maison n'est toujours pas terminée mais je suis sûre qu'elle le sera un jour ! Aujourd'hui, je dispose d'un atelier dédié à la création. Au moins jusqu'au prochain incendie ou à la prochaine coulée de boue !

After moving around a bit here and there over the years, we have finally settled in a rural area of southern California. We bought a small piece of property here a few years ago to build a house. Within months of moving into a nearby rental house, new house plans in hand, we were hit by a wildfire set by an arsonist during windy conditions. All my family photos were packed in tight in a storage container on the property along with all my original samples for my business. With no time to find anything, we left with our dogs and cat and not much else. We figured at the time the fire would pass us by and we would be back in a few hours. But the wind shifted and we were evacuated for a week with no idea whether we would have anything left when we returned. And would our beautiful lot with all those oak trees be intact? Luckily so. The fire burned 28,000 acres, and our little canyon was the only green spot in the whole area. Our firefighters worked tirelessly and only a few houses were lost.

So after a year or two of post-fire mudslides and more evacuations, we finally built the house (if anyone tells you how awesome it must be to build your own house, laugh in their face). I put my creative skills to use (mostly because they were free and cheaper than an architect) and designed the house.

Nous vivons ici en Californie avec deux chiens qui ont été abandonnés. L'un d'eux, âgé d'un an seulement, a perdu un œil suite à un mélanome mais ne semble pas en souffrir. Ce lieu, à la fois de vie et de travail, respire la sérénité. Nous avons des voisins formidables prêts à donner un coup de main dans les moments difficiles et qui aiment les rassemblements quand tout va bien. À quelques minutes de marche de notre maison, nous pouvons partir en promenade avec nos chiens dans les collines environnantes, ce qui est très reposant après des heures de travaux manuels. Je peux me rendre à pied à la maison de quartier pour suivre des cours de yoga. Je peux aussi jardiner toute l'année. C'est l'hiver ici et il fait froid, de notre point de vue du moins. Les chèvres, à côté de chez nous, et le cheval, en face, sont munis d'une couverture d'hiver. Mais même à Noël, il y a toujours des fleurs ! J'ai la chance de pouvoir faire ce que j'aime dans un endroit superbe, avoir une famille merveilleuse, des amis formidables et des clients sensationnels qui apprécient mes créations au point de les acheter. Cela me surprend toujours !!

Paix, amour et patchwork, que demander de plus...
Kathi Campbell

I acted as general contractor (mostly because my husband claims I like to boss men around!) and my husband and I did a lot of the work. We made a few mistakes, but nothing major (pure luck). It's still not finished, but I'm sure it will be one day (LOL). But now I have a workroom to create in. At least until the next fire or mudslide hits ;-)

We live here with our two dogs, both rescues. One is a new rescue – he's only a year old and lost his eye to melanoma, but doesn't seem to miss it. It's very peaceful here and a great place to live and work. We have an awesome community where you know your neighbors will pitch in in hard times, and all love to get together in good times.
It's a short walk to take the dogs into the hills for hiking excursions, which is great after hours of handwork. I can walk to the community center for yoga classes. Living in California, I can garden all year long. It's winter here, and cold (for us). The goats next door and the horse across the street all have their winter coats, but we still have flowers at Christmas! I am very fortunate to be able to do what I love to do in a beautiful place, have a wonderful family, fabulous friends, and awesome people who continue to love my stuff enough to buy my patterns. It still surprises me!!

Peace, love, and happy stitching...Kathi Campbell

Sommaire
Contents

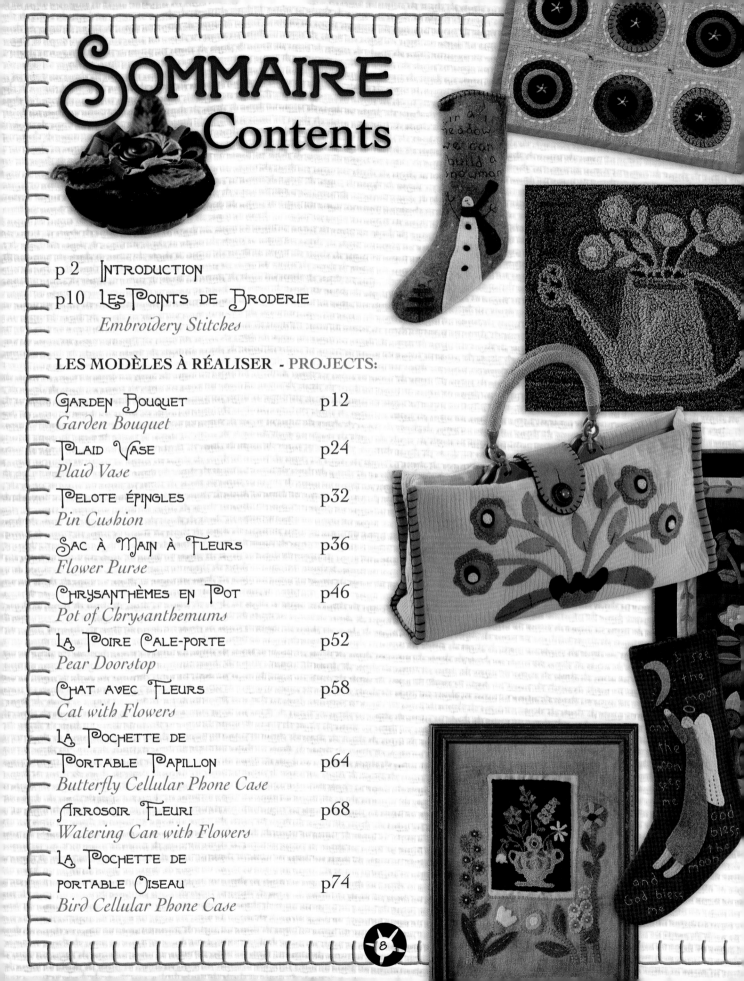

Les Points de Broderie
Embroidery Stitches

Point de nœud colonial
Colonial Knot

Point de Devant
Running stitch

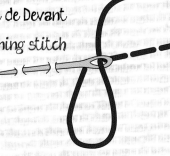

Point de tige
Stem stitch

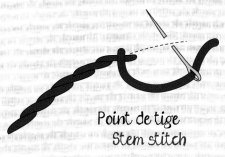

Point Lancé
Straight stitch

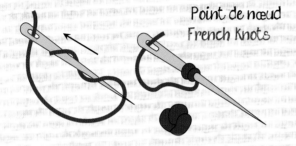

Point d'épine
Feather stitch

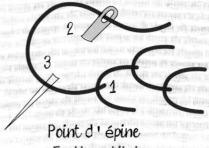

Point de nœud
French Knots

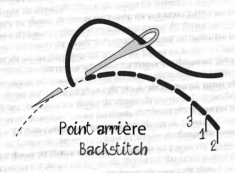

Point de Chaînette
Chain stitch

Point arrière
Backstitch

Point de Feston
Blanket stitch

Point d'echelle
Ladder stitch

Point de bouclette
Lazy daisy stitch

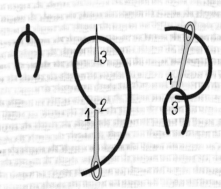

- 5 tissus différents unis ou faux unis dans les tons
  sombres : vert, gris, marron pour les fonds des blocs :
  - Tissu 1 : 40 x 100 cm (16" x 1yd)
  - Tissu 2 : 40 x 100 cm (16" x 1yd)
  - Tissu 3 : 40 x 80 cm (16" x 32")
  - Tissu 4 : 40 x 80 cm (16" x 32")
  - Tissu 5 : 40 x 40 cm (16" x 16")
- Coton gratté vert kaki clair pour les bandes G du tour :
  50 x 110 cm (½yd x 44")
- Coton gratté vert pâle pour les bandes G du tour :
  50 x 110 cm (½yd x 44")
- Tissu vert kaki, faux uni pour les carrés d'angles,
  les tiges sur les bordures et les bandes de finitions :

50 x 110 cm (½yd x 44")
- Tissu damassé noir pour les bordures extérieures :
  60 x 110 cm (23 ½" x 44")
- Assortiment de lainages vert clair et vert foncé pour les
  feuilles et les tiges, au total : 40 x 110 cm (16" x 44")
- Assortiment de lainages écru, beige et marron pour
  les fleurs, au total : 50 x 110 cm (½yd x 44")
- Assortiment de lainages noir, gris et bleu-gris pour
  les fleurs, au total : 30 x 110 cm (12" x 44")
- Coton à broder 5 brins : vert, écru, marron clair,
  marron foncé, gris et noir.
- Voile thermocollant double face
- Doublure et molleton : 160 x 160 cm (63" x 63")

Dimensions du quilt : 144 x 144 cm (56 ½" x 56 ½")
Nombre de blocs : 9 - Taille d'un bloc : 36 cm (14 ¼") de côté
Quilt dimensions: 144 x 144 cm (56 ½" x 56 ½")
Number of blocks: 9 - Block size: 36 cm (14 ¼")

Intermédiaire
Intermediate

- Five different solid or semi-solid fabrics in dark
  colours: green, grey, and chestnut brown for the
  block backgrounds:
  - Fabric 1 : 40 x 100 cm (16" x 1 yd)
  - Fabric 2 : 40 x 100 cm (16" x 1 yd)
  - Fabric 3 : 40 x 80 cm (16" x 32")
  - Fabric 4 : 40 x 80 cm (16" x 32")
  - Fabric 5 : 40 x 40 cm (16" x 16") bandes G du tour :
  50 x 110 cm (¹/₂ yd x 44")
- Light khaki green brushed cotton for the G strips of
  the inner border: 50 x 110 cm (¹/₂ yd x 44")
- Pale green brushed cotton for the G strips of the
  inner border: 50 x 110 cm (¹/₂ yd x 44")
- Khaki green semi-solid fabric for the corner

squares, the border stems and the finishing strips:
50 x 110 cm (¹/₂ yd x 44")
- Black damask fabric for the outer borders: 60 x 110 cm
  (23 ½" x 44")
- Assortment of light and dark green wools for the
  leaves and stems, in total: 40 x 110 cm (16" x 44")
- Assortment of ecru, beige and chestnut brown wools
  for the flowers, in total: 50 x 110 cm (¹/₂ yd x 44")
- Assortment of black, grey and blue-grey wools for
  the flowers, in total: 30 x 110 cm (12" x 44")
- Embroidery floss (5 strands): green, ecru, light
  chestnut brown, dark chestnut brown, grey and black
- Double-sided fusible web
- Backing and batting: 160 x 160 cm (63" x 63")

Coupe :

Les mesures données pour la coupe incluent une marge de couture de 7 mm (¼") arrondies à 15 mm (½") pour les deux. Au besoin, faites les ajustements nécessaires. Les cotes sur les schémas explicatifs sont sans les coutures. Les appliqués sont réalisés à «bords francs» festonnés. N'ajoutez pas de marge de couture à leur gabarit. Chacun de ces éléments est reporté sur le voile thermocollant double face, côté lisse (vérifiez le sens du dessin). Découpez grossièrement autour de chaque motif tracé. A l'aide du fer à repasser, collez chaque partie de dessin sur les tissus adéquats. Découpez ensuite sur le trait.

- Dans le tissu 1 :
  - 2 carrés A de 37.5 cm (14 ¾") de côté
  - 1 carré B de 19.5 cm (7 ⅝") de côté
- Dans le tissu 2 :
  - 2 carrés A de 37.5 cm (14 ¾") de côté
  - 1 carré B de 19.5 cm (7 ⅝") de côté
- Dans le tissu 3 :
  - 1 carré A de 37.5 cm (14 ¾") de côté
  - 1 rectangle C de 19.5 x 37.5 cm (7 ⅝" x 14 ¾")
  - 1 rectangle D de 8.5 x 37.5 cm (3 ¼" x 14 ¾")
- Dans le tissu 4 :
  - 1 carré A de 37.5 cm (14 ¾") de côté
  - 1 carré B de 19.5 cm (7 ⅝") de côté
  - 1 rectangle C de 19.5 x 37.5 cm (7 ⅝" x 14 ¾")
- Dans le tissu 5 :
  - 1 carré B de 19.5 cm (7 ⅝") de côté
  - 1 rectangle de E de 30.5 x 37.5 cm (12" x 14 ¾")
- Dans le coton gratté vert kaki clair pour les bandes du tour :
  - 4 bandes G de 5 x 109.5 cm (1 ⅞" x 43 ¼")
- Dans le coton gratté vert pâle pour les bandes du tour :
  - 4 bandes G de 5 x 109.5 cm (1 ⅞" x 43 ¼")
- Dans le tissu vert kaki, faux uni :
  - 4 carrés F de 9 cm (3 ½") de côté
  - 4 bandes de 2 x 110 cm (¾" x 44") pour les tiges des bordures
  - 6 bandes de 5 x 110 cm (2" x 44") cousues entre elles et recoupées en 4 bandes de finitions de 5 x 146 cm (2" x 57 ½")
- Dans le tissu damassé noir pour les bordures extérieures :
  - 5 bandes de 10.5 x 110 cm (4 ⅛" x 44") cousues entre elles et recoupées en 2 bandes de 10.5 x 124.5 cm (4 ⅛" x 49") et 2 bandes de 10.5 x 142.5 cm (4 ⅛" x 56")
- Dans l'assortiment de lainages vert clair et vert foncé :
  - Les feuilles et les tiges appliquées
- Dans l'assortiment des lainages écru, beige et marron :
  - Les morceaux de certaines fleurs appliquées
- Dans l'assortiment des lainages noir, gris et bleu-gris :
  - Les morceaux de certaines fleurs appliquées.

Cutting:

The measurements given for cutting include a seam allowance of 7 mm (¼"), rounded to 15 mm (½") for two seams. Make any necessary changes. The dimensions in the explanatory diagrams do not include seam allowances. The raw edge technique is used for the appliqués. Do not add seam allowance to their template. Each of these elements is transferred to the smooth side of the double-sided fusible web. (Check that it is the correct way.) Loosely cut around each marked design. With a hot iron and using steam, adhere each design element to fabric of sufficient size. Then cut on the marking.

- From Fabric 1, cut the following:
  - two 37.5 cm (14 ¾") A squares
  - one 19.5 cm (7 ⅝") B square
- From Fabric 2, cut the following:
  - two 37.5 cm (14 ¾") A squares
  - one 19.5 cm (7 ⅝") B square
- From Fabric 3, cut the following:
  - one 37.5 cm (14 ¾") A square
  - one 19.5 x 37.5 cm (7 ⅝" x 14 ¾") C rectangle
  - one 8.5 x 37.5 cm (3 ¼" x 14 ¾") D rectangle
- From Fabric 4, cut the following:
  - one 37.5 cm (14 ¾") A square
  - one 19.5 cm (7 ⅝") B square
  - one 19.5 x 37.5 cm (7 ⅝" x 14 ¾") C rectangle
- From Fabric 5, cut the following:
  - one 19.5 cm (7 ⅝") B square
  - one 30.5 x 37.5 cm (12" x 14 ¾") E rectangle
- From the light khaki green brushed cotton for the inner border strips, cut four 5 x 109.5 cm (1 ⅞" x 43 ¼") G strips.
- From the pale green brushed cotton for the inner border strips, cut four 5 x 109.5 cm (1 ⅞" x 43 ¼") G strips.
- From the khaki green semi-solid fabric, cut the following:
  - four 9 cm (3 ½") F squares
  - four 2 x 110 cm (¾" x 44") strips for the border stems
  - six 5 x 110 cm (2" x 44") strips, sew them together end to end and recut into four 5 x 146 cm (2" x 57 ½") finishing strips
- From the black damask fabric for the outer borders, cut five 10.5 x 110 cm (4 ⅛" x 44") strips; sew them together end to end and recut into two 10.5 x 124.5 cm (4 ⅛" x 49") strips and two 10.5 x 142.5 cm (4 ⅛" x 56") strips.
- From the assortment of light and dark green wools, cut the appliqué leaves and stems.
- From the assortment of ecru, beige and chestnut brown wools, cut the pieces for some of the appliqué flowers.
- From the assortment of black, grey and blue-grey wools, cut the pieces for some of the appliqué flowers.

Réalisation :
Schéma 1 : Palette de tissus

Schéma 2 : «Bloc 1» : Sur l'endroit d'un carré A de tissu 1, appliquez les fleurs à «bord francs» en suivant l'ordre numérique des gabarits. Otez la pellicule de papier du voile thermocollant doublant chaque élément. Fixez vos pièces au fer à repasser (chaud et vapeur). Réalisez un point de feston autour de chacune avec un fil à broder assorti.

Brodez :
• avec le fil écru :
- des points de nœuds sur le cœur des fleurs.
• avec le fil marron foncé :
- un point d'échelle sur les bandes marron des pétales.
- un point arrière pour souligner ces mêmes bandes.
• avec le fil marron clair :
- un point de chaînette pour séparer les pétales et pour souligner le cœur des fleurs.
• avec le fil vert :
- un point d'échelle sur les bandes vertes des feuilles.
- un point arrière pour les nervures.

■ Tissu/*fabric* 1
■ Tissu/*fabric* 2
■ Tissu/*fabric* 3
■ Tissu/*fabric* 4
■ Tissu/*fabric* 5

Schéma 1
Diagram 1

36 cm 14 ¼"

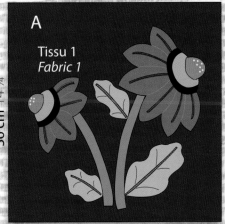

A

Tissu 1
Fabric 1

36 cm 14 ¼"

Bloc 1 - Block 1

Schéma 2
Diagram 2

Making the quilt :
Diagram 1 : Fabric palette

Diagram 2 : Block 1: On the right side of one A square of Fabric 1, appliqué the flowers using the raw edge technique, following the numerical order of the templates. Remove the paper film from the fusible web lining each element. Adhere your pieces with a hot iron, using steam. Blanket stitch around each piece with coordinating embroidery floss.

Embroider as follows:
• with the ecru floss:
- French knots on the flower centres
• with the dark chestnut brown floss:
- ladder stitches on the chestnut brown strips of the petals;
- backstitches to accentuate these strips
• with the light chestnut brown floss:
- chain stitches to separate the petals and to accentuate the flower centres
• with the green floss:
- ladder stitches on the green strips of the leaves;
- backstitches for the veins.

Schéma 3 : «Bloc 2» : Sur l'endroit d'un carré A de tissu 2, appliquez les fleurs à «bord francs» en suivant l'ordre numérique des gabarits. Otez la pellicule de papier du voile thermocollant doublant chaque élément. Fixez vos pièces au fer à repasser (chaud et vapeur). Réalisez un point de feston autour de chacune avec un fil à broder assorti.

Brodez :

- avec le fil écru :
  Des points de nœuds sur le cœur des fleurs.
  Un point de chaînette sur les pétales
- avec le fil marron foncé : un point de chaînette pour souligner le cœur des boutons de fleurs
- avec le fil vert :
  Un point de devant sur les bandes vertes des feuilles.
  Un point arrière pour les nervures.

Schéma 4 : «Bloc 3» : Sur l'endroit d'un carré A de tissu 3, appliquez les fleurs à «bord francs» en suivant l'ordre numérique des gabarits, vous pouvez évider le centre des grandes pièces pour éviter les surépaisseurs. Otez la pellicule de papier du voile thermocollant doublant chaque élément. Fixez vos pièces au fer à repasser (chaud et vapeur). Réalisez un point de feston autour de chacune avec un fil à broder assorti.

Brodez :

- avec le fil écru : des points de nœuds sur le cœur des fleurs.
- avec le fil marron foncé : un point de bouclette sur chaque pétale.
- avec le fil vert : un point de devant sur les bandes vertes des feuilles.

Schéma 5 : «Bloc 4» : Sur l'endroit d'un carré A de tissu 4, appliquez les fleurs à «bord francs» en suivant l'ordre numérique des gabarits. Otez la pellicule de papier du voile thermocollant doublant chaque élément. Fixez vos pièces au fer à repasser (chaud et vapeur). Réalisez un point de feston autour de chacune avec un fil à broder assorti.

Brodez :

- avec le fil écru :
  Des points lancés en étoile sur les petits ronds écrus de la fleur.
  Des points de devant pour border les pétales
- avec le fil marron foncé : un point de chaînette pour souligner l'ovale noir.
- avec le fil vert :
  Un point d'échelle sur les bandes vertes des feuilles.
  Un point arrière pour souligner ces mêmes bandes.

Diagram 3 : Block 2: On the right side of one A square of Fabric 2, appliqué the flowers using the raw edge technique, following the numerical order of the templates. Remove the paper film from the fusible web lining each element. Adhere your pieces with a hot iron, using steam. Blanket stitch around each piece with coordinating embroidery floss.

Embroider as follows:

- with the ecru floss: French knots on the flower centres; chain stitches on the petals
- with the dark chestnut brown floss: chain stitches to accentuate the flower bud centres
- with the green floss: running stitches on the green strips of the leaves; backstitches for the veins.

Diagram 4 : Block 3: On the right side of one A square of Fabric 3, appliqué the flowers using the raw edge technique, following the numerical order of the templates. You may cut out the centre of the large pieces to avoid excess fabric thickness. Remove the paper film from the fusible web lining each piece. Adhere your pieces with a hot iron, using steam. Blanket stitch around each piece with coordinating embroidery floss.

Embroider as follows:

- with the ecru floss: French knots on the flower centres
- with the dark chestnut brown floss: lazy daisy stitches on each petal
- with the green floss: running stitches on the green strips of the leaves.

Diagram 5 : Block 4: On the right side of one A square of Fabric 4, appliqué the flowers using the raw edge technique, following the numerical order of the templates. Remove the paper film from the fusible web lining each piece. Adhere your pieces with a hot iron, using steam. Blanket stitch around each piece with coordinating embroidery floss.

Embroider as follows:

- with the ecru floss: straight stitches in a star formation on the small ecru circles of the flower; running stitches to edge the petals
- with the dark chestnut brown floss: chain stitches to accentuate the black oval
- with the green floss: ladder stitches on the green strips of the leaves; backstitches to accentuate these strips.

36 cm 14 ¼"

36 cm 14 ¼"

A   Tissu 2
Fabric 2

Bloc 2 - Block 2

Schéma 3 - Diagram 3

36 cm 14 ¼"

36 cm 14 ¼"

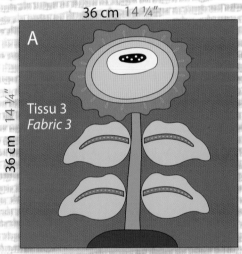

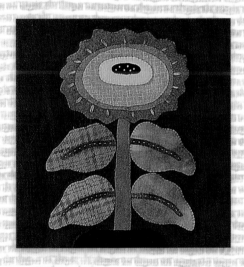

A

Tissu 3
Fabric 3

Bloc 3 - Block 3

Schéma 4 - Diagram 4

36 cm 14 ¼"

36 cm 14 ¼"

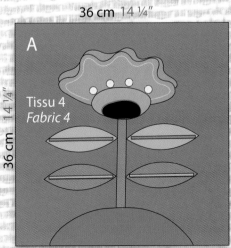

A

Tissu 4
Fabric 4

Bloc 4 - Block 4

Schéma 5 - Diagram 5

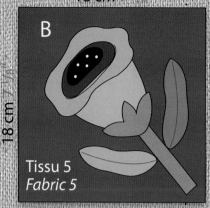

18 cm 7 ⅛"

18 cm 7 ⅛"

B

Tissu 5
Fabric 5

SCHÉMA 6 - DIAGRAM 6

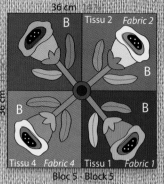

36 cm

36 cm

B   Tissu 2   *Fabric 2*

B

B

B

Tissu 4   *Fabric 4*   Tissu 1   *Fabric 1*

Bloc 5 - Block 5

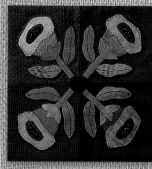

SCHÉMA 7 - DIAGRAM 7

Schéma 6 : «Bloc 5» : Sur l'endroit d'un carré B de tissu 5, appliquez les fleurs à «bord francs» en suivant l'ordre numérique des gabarits. Otez la pellicule de papier du voile thermocollant doublant chaque élément. Fixez vos pièces au fer à repasser (chaud et vapeur). Réalisez un point de feston autour de chacune avec un fil à broder assorti.

Brodez :
- avec le fil écru : des points de nœud sur le cœur noir de la fleur.
- avec le fil noir : un point arrière pour souligner le centre de la fleur.
- avec le fil vert : Un point arrière pour les nervures des feuilles.

Réalisez 3 autres unités identiques en changeant les couleurs des tissus.

Schéma 7 : Assemblez entre elles ces quatre unités en orientant les tiges vers le centre du bloc. Appliquez l'un sur l'autre, les deux ronds sur le centre du «bloc 5».

Schéma 8 : «Bloc 6» : Cousez ensemble les deux rectangles C pour obtenir le fond bicolore du bloc. Sur l'endroit de ce fond, appliquez les fleurs à «bord francs» en suivant l'ordre numérique des gabarits. Otez la pellicule de papier du voile thermocollant doublant chaque élément. Fixez vos pièces au fer à repasser (chaud et vapeur). Réalisez un point de feston autour de chacune avec un fil à broder assorti.

Diagram 6 : Block 5: On the right side of one B square of Fabric 5, appliqué the flowers using the raw edge technique, following the numerical order of the templates. Remove the paper film from the fusible web lining each piece. Adhere your pieces with a hot iron, using steam. Blanket stitch around each piece with coordinating embroidery floss.

Embroider as follows:
- with the ecru floss: French knots on the black centre of the flower
- with the black floss: backstitches to accentuate the flower centre
- with the green floss: backstitches for the leaf veins.

Make three more identical units, changing the fabric colours.

Diagram 7 : Join these four units, orienting the stems toward the block centre. Appliqué the two circles, one on the other, on the centre of Block 5.

Diagram 8 : Block 6: Join the two C rectangles to obtain the bicolour background of the block. On the right side of this background appliqué the flowers using the raw edge technique, following the numerical order of the templates. Remove the paper film from the fusible web lining each piece. Adhere your pieces with a hot iron, using steam. Blanket stitch around each piece with coordinating embroidery floss.

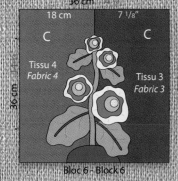 

Bloc 6 - Block 6

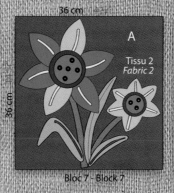 

Bloc 7 - Block 7

Schéma 8 - Diagram 8   Schéma 9 - Diagram 9

Brodez :
- avec le fil écru :
Des points de nœuds sur les cœurs des fleurs.
Des points de bouclettes sur chaque pétale.
- avec le fil marron foncé : un point de chaînette pour souligner les cœurs.
- avec le fil vert :
Un point d'échelle sur les bandes vertes des feuilles.
Un point arrière pour les nervures des feuilles.

Schéma 9 : «Bloc 7» : Sur l'endroit d'un carré A de tissu 2, appliquez les fleurs à «bord francs» en suivant l'ordre numérique des gabarits, vous pouvez évider le centre des grandes pièces pour éviter les surépaisseurs. Otez la pellicule de papier du voile thermocollant doublant chaque élément. Fixez vos pièces au fer à repasser (chaud et vapeur). Réalisez un point de feston autour de chacune avec un fil à broder assorti.
Brodez :
- avec le fil écru : un point d'échelle sur les bandes beiges des fleurs.
- avec le fil marron clair :
Des points de nœuds sur le cœur des fleurs.
Un point arrière pour souligner les bandes beiges.
- avec le fil marron foncé : un point de devant sur le tour des ronds marron clair.
- avec le fil vert :
Un point d'échelle sur les bandes vertes des feuilles.
Un point arrière pour la nervure.

Embroider as follows:
- with the ecru floss: French knots on the flower centres; lazy daisy stitches on each petal
- with the dark chestnut brown floss: chain stitches to accentuate the centres
- with the green floss: ladder stitches on the green strips of the leaves; backstitches for the leaf veins.

Schéma 9 : Block 7: On the right side of one A square of Fabric 2, appliqué the flowers using the raw edge technique, following the numerical order of the templates. You may cut out the centre of the large pieces to avoid excess fabric thickness. Remove the paper film from the fusible web lining each piece. Adhere your pieces with a hot iron, using steam. Blanket stitch around each piece with coordinating embroidery floss.
Embroider as follows:
- with the ecru floss: ladder stitches on the beige strips of the flowers
- with the light chestnut brown floss: French knots on the flower centres; backstitches to accentuate the beige strips
- with the dark chestnut brown floss: running stitches on the perimeter of the light chestnut brown circles
- with the green floss: ladder stitches on the green strips of the leaves; backstitches for the veins.

Schéma 10 : «Bloc 8» : Sur l'endroit d'un carré A de tissu 1, appliquez les fleurs à «bord francs» en suivant l'ordre numérique des gabarits, vous pouvez évider le centre des grandes pièces pour éviter les surépaisseurs. Otez la pellicule de papier du voile thermocollant doublant chaque élément. Fixez vos pièces au fer à repasser (chaud et vapeur). Réalisez un point de feston autour de chacune avec un fil à broder assorti.

Brodez :
- avec le fil gris :
Un point de nœud sur le cœur des fleurs.
Un point de bouclette sur chaque pétale.
Un point arrière pour souligner les cœurs des fleurs
- avec le fil vert :
Un point d'échelle sur les bandes vertes des feuilles.
Un point arrière pour les nervures.

Schéma 11 : «Bloc 9» : Cousez ensemble le rectangle D et le rectangle E pour obtenir le fond bicolore du bloc. Sur l'endroit de ce fond, appliquez la couronne et les fleurs à «bord francs» en suivant l'ordre numérique des gabarits. Otez la pellicule de papier du voile thermocollant doublant chaque élément. Fixez vos pièces au fer à repasser (chaud et vapeur). Réalisez un point de feston autour de chacune avec un fil à broder assorti.

Brodez :
- avec le fil écru : des points de nœuds sur les cœurs des fleurs et des ronds écrus.
- avec le fil marron clair : un point de bouclette sur chaque pétale.
- avec le fil vert : un point de bouclette sur chaque feuille.

Schéma 12 : Assemblez les blocs comme suit :
Ligne 1 : bloc 1, bloc 2, bloc 3.
Ligne 2 : bloc 4, bloc 5, bloc 6.
Ligne 3 : Bloc 7, bloc 8, bloc 9.
Assemblez ces lignes dans l'ordre numérique.

Schéma 13 : Unité d'angle : Sur l'endroit d'un carré F, appliquez la fleur et les feuilles à «bord francs» en suivant l'ordre numérique des gabarits. Otez la pellicule de papier du voile thermocollant doublant chaque élément. Fixez vos pièces au fer à repasser (chaud et vapeur). Réalisez un point de feston autour de chacune avec un fil à broder assorti.

Brodez :
- avec le fil marron clair : des points de nœud sur le cœur de la fleur.
- avec le fil écru : Un point de bouclette sur chaque pétale.
- avec le fil vert : Un point arrière pour les nervures.
Réalisez au total 4 unités d'angles identiques.

Diagram 10 : Block 8: On the right side of one A square of Fabric 1, appliqué the flowers using the raw edge technique, following the numerical order of the templates. You may cut out the centre of the large pieces to avoid excess fabric thickness. Remove the paper film from the fusible web lining each piece. Adhere your pieces with a hot iron, using steam. Blanket stitch around each piece with coordinating embroidery floss.

Embroider as follows:
-with the grey floss: French knots on the flower centres; lazy daisy stitches on each petal; backstitches to accentuate the flower centres
-with the green floss: ladder stitches on the green strips of the leaves; backstitches for the veins.

Diagram 11 : Block 9: Join the D rectangle and the E rectangle to obtain the bicolour background of the block. On the right side of this background, appliqué the wreath and flowers using the raw edge technique, following the numerical order of the templates. Remove the paper film from the fusible web lining each piece. Adhere your pieces with a hot iron, using stem. Blanket stitch around each piece with coordinating embroidery floss.

Embroider as follows:
-with the ecru floss: French knots on the centres of the flowers and the ecru circles
-with the light chestnut brown floss: lazy daisy stitches on each petal
-with the green floss: lazy daisy stitches on each petal.

Diagram 12 : Join the blocks as follows:
Row 1: Block 1, Block 2, Block 3
Row 2: Block 4, Block 5, Block 6
Row 3: Block 7, Block 8, Block 9
Join these rows in numerical order.

Diagram 13 : Corner unit: On the right side of one F square, appliqué the flower and leaves using the raw edge technique, following the numerical order of the templates. Remove the paper film from the fusible web lining each piece. Adhere your pieces with a hot iron, using steam. Blanket stitch around each piece with coordinating embroidery floss.

Embroider as follows:
-with the light chestnut brown floss: French knots on the flower centre
-with the ecru floss: lazy daisy stitches on each petal
-with the green floss: backstitches for the veins
Make four identical corner units in total.

36 cm 14 ¼"

36 cm 14 ¼"

A

Tissu 1
Fabric 1

Bloc 8 - Block 8

Schéma 10 - Diagram 10

36 cm 14 ¼"

7 cm   29 cm   11 ½"

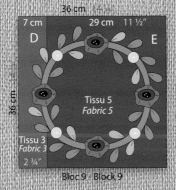

36 cm 14 ¼"

D   E

Tissu 5
Fabric 5

Tissu 3
Fabric 3
2 ¾"

Bloc 9 - Block 9

Schéma 11 - Diagram 11

108 cm   42 ¾"

Ligne 1
Row 1

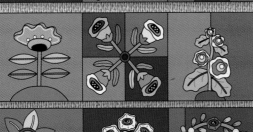

Ligne 2
Row 2

Ligne 3
Row 3

Schéma 12 - Diagram 12

7.5 cm   2 ⅞"

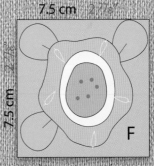

7.5 cm   2 ⅞"

F

Unité d'angle

Schéma 13 - Diagram 13

21

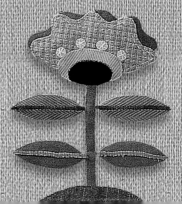

Schéma 14 : Sur la longueur d'une bande G en coton kaki, tracez une courbe et coupez le surplus. Posez cette bande sur le bord d'une bande G vert pâle. Tracez cette même courbe sur cette nouvelle bande et coupez le surplus. Superposez ces deux bandes endroit contre endroit et bords à bords. Cousez à 7 mm (¼") du bord, du côté des courbes. Appliquez la tige sur la couture et en suivant la courbe, de façon traditionnelle puis à «bords francs» festonné, les feuilles.

Brodez : avec le fil vert, au point arrière : les nervures des feuilles.

Réalisez au total 4 bordures identiques.

Schéma 15 : Cousez une bordure à droite et à gauche de l'ouvrage. En haut et en bas, cousez les deux autres bordures complétées à leurs extrémités par une unité d'angle.

Schéma 16 : A droite et à gauche de l'ouvrage, cousez une bande H. En haut et en bas, cousez une bande I.

Bâtissez l'ouvrage sur le molleton et la doublure.

Matelassez à votre convenance.

Fermez l'ouvrage avec les bandes de finition cousues tout autour et rabattues sur l'envers.

Diagram 14 : On the long side of one khaki green G strip, mark a curve and cut away the excess fabric. Position this strip on the edge of a pale green G strip. Mark this same curve on this new strip and cut away the excess fabric. Layer these two strips with right sides together and edge to edge. Stitch at 7 mm (¼") from the edge, from the curve side. Appliqué the stem on the seam and following the curve, using the traditional method, then using the raw edge technique appliqué the leaves.

With the green floss and using backstitches, embroider the leaf veins.

Make four identical borders in total..

Diagram 15 : Stitch one border to each of the right and left sides of the quilt top. Join the two remaining borders, completed on each end by a corner unit, to the top and bottom.

Diagram 16 : Stitch an H strip to the right and left of the quilt top. Join an I strip to the top and bottom. Layer the quilt top, batting and backing and baste. Quilt as desired. Complete the quilt with the finishing strips sewn all around and turned to the back.

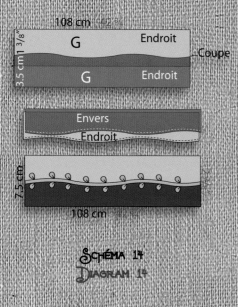

Schéma 14
Diagram 14

Schéma 16 - Diagram 16

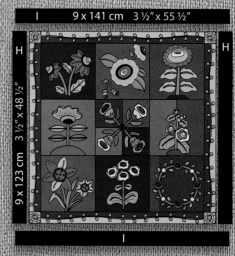

Schéma 16 - Diagram 16

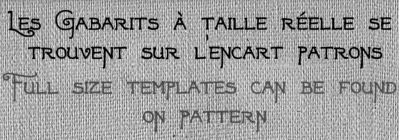

LES GABARITS À TAILLE RÉELLE SE
TROUVENT SUR L'ENCART PATRONS
FULL SIZE TEMPLATES CAN BE FOUND
ON PATTERN

FOURNITURES :

Les tissus sont en 110 cm de large (44")

-Tissu 1 : Lin noir pour le carré central : 50 x 50 cm
  (½ yd x ½ yd)
-Tissu 2 : Lin noir à trame fine pour les triangles E : 40 cm
  (16")
- Tissu 3 : Tissu bleu pétrole faux uni pour les triangles
  E : 40 cm (16")
- Tissu 4 : Tissu noir damassé pour les bandes K et les
  carrés F : 100 cm (1 yd)
- Tissu 5 : Coton gratté vert pâle à carreaux pour les
  triangles B : 40 cm (16")
- Tissu 6 : Tissu bleu gris à rayures pour les triangles
  B : 40 cm (16")
- Tissu 7 : Tissu bleu pétrole imprimé pour les triangles
  B : 20 x 40 cm (8" x 16")
- Tissu 8 : Tissu vert anis uni pour les pièces C : 25 cm (10")
- Tissu 9 : Tissu bleu à petits carreaux pour les bandes
  I et H : 20 cm (8")
- Tissu 10 : Lainage noir pour les grandes languettes
  entourant le panneau central, et les petits ronds M :
  20 x 110 cm (8" x 44")

- Tissu 11 : Lainage gris bleuté pour les petites
  languettes et les ronds L : 20 x 110 cm (8" x 44")
-Lainage gris clair pour le socle et les dessins du pot de
  fleurs : 15 x 20 cm (6" x 8")
-Lainage gris pour le pot de fleurs : 25 x 30 cm (10" x 12")
-Lainage vert pâle pour les tiges et les feuilles des
  fleurs : 20 x 30 cm (8" x 12")
-Lainages vert moyen et vert foncé pour les feuilles des
  fleurs : Chutes
-Lainages beige, bleu clair, orangé, marron clair,
  marron foncé et petits pieds de poule sombre pour
  les fleurs : Chutes
-Lainage écru pour les marguerites : 30 x 45 cm
  (12" x 18")
-Biais J vert clair à petits carreaux de 1.5 cm (½") de
  large (prêt à appliquer) : 9 m (9 yd)
-Tissu vert sombre à carreaux pour fermer l'ouvrage :
  40 cm (16")
-Fils à broder 5 brins : vert kaki, écru et noir
-Voile thermocollant double face
-Molleton fin et doublure : 150 x 150 cm (1 ¾ yd x 1 ¾ yd)

Dimensions du quilt : 142 x 142 cm (56 ½" x 56 ½") - Taille du medaillon : 45 cm de côté (18")
Quilt dimensions: 142 x 142 cm (56 ½" x 56 ½") - Medallion size: 45 cm square (18")

INTERMÉDIAIRE - INTERMEDIATE

MATERIALS:

The fabrics are 110 cm (44") wide.

Fabric 1: Black linen for the centre square: 50 x 50 cm
  (½ yd x ½ yd)
Fabric 2: Finely woven black linen for the E
  triangles: 40 cm (16")
Fabric 3: Air force blue semi-solid fabric for the E
  triangles: 40 cm (16")
Fabric 4: Black damask fabric for the K strips and
  the F squares: 100 cm (1yd)
Fabric 5: Pale green napped fabric with checks for
  the B triangles: 40 cm (16")
Fabric 6: Blue-grey striped fabric for the B triangles:
  40 cm (16")
Fabric 7: Air force blue print fabric for the B
  triangles: 20 x 40 cm (8" x 16")
Fabric 8: Anise green solid fabric for the C pieces: 25 cm
  (10")
Fabric 9: Blue fabric with small checks for the I and
  H strips: 20 cm (8")
Fabric 10: Black felted wool for the large tabs sur-
  rounding the centre panel, and the small M circles:

20 x 110 cm (8" x 44")
Fabric 11: Bluish grey felted wool for the small tabs
  and the L circles: 20 x 110 cm (8" x 44")
Light grey felted wool for the base and the designs on
  the flowerpot: 15 x 20 cm (6" x 8")
Grey felted wool for the flowerpot: 25 x 30 cm (10" x 12")
Pale green felted wool for the flower stems and
  leaves: 20 x 30 cm (8" x 12")
Medium green and dark green felted wools for the
  flower leaves: scraps
Felted wools in beige, light blue, orange, light
  chestnut brown, dark chestnut brown and small
  dark houndstooth for the flowers: scraps
Ecru felted wool for the daisies: 30 x 45 cm (12" x 18")
J bias binding in light green with small checks 1.5 cm
  (½ ") wide (ready to appliqué): 9 m (9 yd)
Dark green checked fabric to finish the project: 40 cm (16")
Embroidery floss (5 strands): khaki green, ecru and
  black
Double-sided fusible web
Thin binding and backing: 150 x 150 cm (1 ¾ yd x 1 ¾ yd)

Coupe :

*Les mesures données pour la coupe des pièces incluent une marge de couture de 7 mm (¹/₄")
arrondies à 15 mm (¹/₂") pour les deux. Au besoin, faites les ajustements nécessaires. Si vous
utilisez les gabarits, ajoutez-y les marges de coutures.*

*Les appliqués sont réalisés à «bords francs festonnés». N'ajoutez pas de marge de couture. Chacun de
ces éléments est reporté sur le voile thermocollant double face, côté lisse (vérifiez le sens du dessin).
Découpez grossièrement autour de chaque motif trace. A l'aide du fer à repasser (chaud et vapeur),
collez chaque partie de dessin sur les tissus adéquats. Découpez ensuite sur le trait.*

*Les cotes sur les schémas explicatifs sont sans les coutures excepté pour certains schémas pour
lesquels la mention « coutures comprises » est spécifiée.*

- Dans le lin noir :
  - Le carré central A de 49 cm (19 ½") de côté
    (exceptionnellement une marge de couture est
    prévue plus large afin de réaliser les appliqués
    de manière plus aisée. Le carré sera recoupé
    aux bonnes dimensions plus tard)
- Dans le lin noir à trame fine :
  - 24 carrés de 9.9 cm (3 ⁷/₈") de côté, recoupés
    sur une diagonale pour donner 48 triangles E
- Dans le tissu bleu pétrole faux uni :
  - 24 carrés de 9.9 cm (3 ⁷/₈") de côté, recoupés
    sur une diagonale pour donner 48 triangles E
- Dans le tissu noir damassé :
  - 4 bandes K de 18 x 111.5 cm (7" x 44") et 4
    carrés F de 9 cm (3 ½") de côté
- Dans le coton gratté vert pâle à carreaux :
  - 6 carrés de 18.9 cm (7 ³/₈") de côté, recoupés
    sur une diagonale pour donner 12 triangles B
- Dans le tissu bleu gris à rayures :
  - 8 carrés de 18.9 cm (7 ³/₈") de côté, recoupés
    sur une diagonale pour donner 16 triangles B
- Dans le tissu bleu pétrole imprimé :
  - 2 carrés de 18.9 cm (7 ³/₈") de côté, recoupés
    sur une diagonale pour donner 4 triangles B
- Dans le tissu vert anis uni :
  - 12 pièces C
- Dans le tissu bleu à petits carreaux :
  - 2 bandes I de 3.5 x 110.5 cm (1 ³/₈" x 44") ;
    deux bandes H de 3.5 x 106.5 cm (1 ³/₈" x
    42½")

- Dans le lainage gris clair :
  - Le socle et les dessins du pot de fleurs
- Dans le lainage gris :
  - Le pot de fleurs (n'oubliez pas d'évider les
    anses)
- Dans le lainage vert pâle :
  - Les tiges et les feuilles en vous inspirant du
    modèle
- Dans les lainages vert moyen et vert foncé :
  - Le reste des feuilles
- Dans les lainages beige, bleu clair, orangé,
  marron clair, marron foncé et petits pieds de
  poule sombre :
  - Les différentes fleurs et leurs cœurs
- Dans le lainage écru :
  - Les 5 marguerites ouvertes et la marguerite
    fermée
- Dans le lainage noir :
  - 36 languettes D (la marge en bas de la pièce
    sera prise dans la couture du montage final) et
    24 ronds M de 2 cm (³/₄") de diamètre
- Dans le lainage gris bleuté :
  - 36 petites languettes G et 24 ronds L de 3.5 cm
    (1 ³/₈") de diamètre
- Dans le biais J vert clair à petits carreaux :
  - 28 bandes de 32 cm (12 ³/₄")
- Dans le tissu vert sombre à carreaux :
  - 6 bandes de 6 x 110 cm (2 ½" x 44") cousues
    entre elles et recoupées en 4 bandes de finition
    de 6 x 144 cm (2 ½" x 1 ½ yd)

CUTTING:

The measurements given for cutting the pieced elements include a seam allowance of 7 mm (¼"), rounded to 15 mm (½") for two seams. Make any necessary changes. Add seam allowances if using templates.

The raw edge technique is used for the appliqués. Do not add seam allowance. Each design element is transferred to the smooth side of the double-sided fusible web (check that it is the correct way). Loosely cut around each marked piece. With a hot iron and using steam, adhere each piece to fabric of sufficient size. Then cut on the marking.

The dimensions given in the explanatory diagrams do not include seam allowances, except for those diagrams that specify "Seam allowances included".

- From the black linen, cut
  - the 49 cm (19 ½") central A square. The square is cut larger in order to facilitate appliquéing, and will be cut to the correct dimensions later.
- From the finely woven black linen, cut
  - twenty-four 9.9 cm (3 ⅞") squares; recut on one diagonal to yield forty-eight E triangles.
- From the air force blue semi-solid fabric, cut:
  - twenty-four 9.9 cm (3 ⅞") squares; recut on one diagonal to yield forty-eight E triangles.
- From the black damask fabric, cut the following:
  - four 18 x 111.5 cm (7" x 44") K strips
  - four 9 cm (3 ½") F squares
- From the pale green napped fabric with checks, cut:
  - six 18.9 cm (7 ⅜") squares; recut on one diagonal to yield twelve B triangles.
- From the blue-grey striped fabric, cut
  - eight 18.9 cm (7 ⅜") squares; recut on one diagonal to yield sixteen B triangles.
- From the air force blue print fabric, cut
  - two 18.9 cm (7 ⅜") squares; recut on one diagonal to yield four B triangles.
- From the anise green solid fabric, cut:
  - twelve C pieces.
- From the blue fabric with small checks, cut the following:
- two 3.5 x 110.5 cm (1 ¼" x 44") I strips
- two 3.5 x 106.5 cm (1 ¼" x 42 ½") H strips
- From the light grey felted wool, cut:
  - the base and the designs for the flowerpot.

- From the grey felted wool, cut:
  - the flowerpot (remember to cut out the handles).
- From the pale green felted wool, cut:
  - the stems and leaves, referring to the example.
- From the medium and dark green felted wools, cut:
  - the remainder of the leaves.
- From the felted wools in beige, light blue, orange, light and dark chestnut brown and small dark houndstooth, cut:
  - the various flowers and their centres.
- From the ecru felted wool, cut:
  - the five open daisies and the closed daisy.
- From the black felted wool, cut the following:
  - thirty-six D tabs (the seam allowance at the piece bottom will be enclosed in the final assembly seam)
  - twenty-four M circles 2 cm (¾") in diameter
- From the bluish grey felted wool, cut the following:
  - thirty-six small G tabs
  - twenty-four L circles 3.5 cm (1 ⅜") in diameter
- From the J bias binding in light green with small checks, cut:
  - twenty-eight 32 cm (12 ¾") strips.
- From the dark green checked fabric, cut:
  - six 6 x 110 cm (2 ½" x 44") strips; sew them together end to end and recut into four finishing strips 6 x 144 cm (2 ½" x 1 ½ yd).

Réalisation :

Schéma 1 : Pour le médaillon central : Sur le carré A, appliquez le bouquet de fleurs et le pot à «bords francs» en suivant l'ordre numérique des gabarits : ôtez la pellicule de papier du voile thermocollant doublant chaque élément. Fixez vos pièces au fer à repasser (chaud et vapeur). Réalisez un point de feston autour de chacune avec un fil à broder noir. Réalisez un point de nœud colonial avec un fil à broder 5 brins écru sur le centre des ronds des fleurs. Retaillez le carré A à 46.5 cm (18 ½'') de côté, marge de couture comprise.

Schémas 2, 3 et 4 : Pour chaque «bloc 1» entourant le médaillon central : De chaque côté d'une pièce C, cousez un triangle B (tissu 6) et un triangle B (tissu 5), de façon à avoir un bloc carré. Faites l'opération 12 fois au total.

Assemblez 4 fois deux «blocs 1» de façon à ce que la bande C centrale forme un «V». Sur la longueur de chacune de ces 4 bandes, côté pointu du «V», appliquez 9 languettes D noires. Otez la pellicule du voile thermocollant doublant chaque élément. Fixez vos pièces au fer à repasser (chaud et vapeur). Réalisez un point de feston autour de chacune avec un fil à broder vert kaki. Assemblez une de ces bandes à droite et une à gauche du panneau central de façon à prendre les languettes dans la couture. Sur les 2 extrémités de chaque bande restante, cousez un «bloc 1» de façon à ce que la bande vert anis fasse un zigzag. Puis assemblez ces nouvelles bandes en haut et en bas du panneau central. Une fois cousues, les bandes C vert anis forment une croix.

Schéma 5 : Pour la bordure intermédiaire, construisez 48 carrés bicolores composés chacun d'un triangle E (tissu 2) et d'un triangle E (tissu 3).

Schéma 6 : Construisez 4 bandes de 12 carrés bicolores en vous référant au schéma pour la disposition des couleurs. Cousez les carrés de façon à ce que chaque triangle d'une couleur forme un triangle plus grand avec son voisin. A droite et à gauche du panneau central cousez une bande ainsi constituée, la base des triangles E (tissu 3) le long de l'ouvrage en cours. En haut et en bas, faites de même avec les 2 bandes restantes après avoir complété leurs extrémités par un carré F. A droite et à gauche de cet ouvrage, cousez une bande H, puis en haut et en bas, une bande I.

Making the quilt :

Diagram 1: Assemble the centre medallion as follows: On the A square appliqué the flower bouquet and the pot using the raw edge technique, following the numerical order of the templates and removing the paper film from the fusible web lining each element. Adhere your pieces with a hot iron, using steam. Sew around each one in blanket stitch using black embroidery floss. Make a colonial knot stitch with five strands of ecru embroidery floss in the centre of the flower circles. Trim the A square to 46.5 cm (18 ½'') square, seam allowance included.

Diagrams 2, 3 and 4: For each Block 1 surrounding the centre medallion, proceed as follows: On each side of one C piece, stitch one B triangle of Fabric 6 and one B triangle of Fabric 5, so that you will obtain a square block. Repeat twelve times in total.

Join two of Block 1 four times so that the centre C strip forms a "V". On the length of each of these four strips, on the side of the "V" point, appliqué nine black D tabs. Remove the paper film from the fusible web lining each element. Adhere your pieces with a hot iron, using steam. Sew around each piece in blanket stitch with khaki green embroidery floss. Join one of these strips on the right of the centre panel and one on the left, incorporating the tabs in the seam. On the two ends of each remaining strip, stitch one Block 1 so that the anise green strip makes a zigzag. Then join these new strips on the top and bottom of the centre panel. The anise green C strips will form a cross when assembled.

Diagram 5: For the inner border, make forty-eight bicolour squares, each composed of one E triangle of Fabric 2 and one E triangle of Fabric 3.

Diagram 6: Make four strips of twelve bicolour squares, referring to the diagram to arrange the colours. Stitch the squares so that each triangle of one colour makes a larger triangle with its neighbour. On each of the right and left of the centre panel stitch one of these strips, with the base of the E triangles of Fabric 3 along the length of the work in progress. Repeat on the top and bottom with the two remaining strips, after completing their ends with an F square. Stitch an H strip on the right and left and an I strip on the top and bottom.

49 cm 19 ½"*

45 cm 18"

45 cm 18"

A

Tissu 1   *Fabric 1*

Coutures comprises
Seam allowances included

Schéma 1
Diagram 1

Bloc 1
Block 1

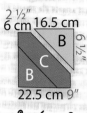

2 ½"
6 cm 16.5 cm   6 ½"

B

C

B

22.5 cm 9"

Schéma 2
Diagram 2

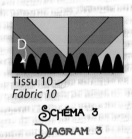

D

Tissu 10
Fabric 10

Schéma 3
Diagram 3

22.5 cm   9"

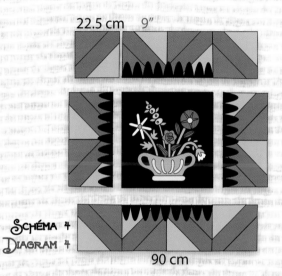

Schéma 4
Diagram 4

90 cm

I 2 x 109 cm   43 ½" x ¾"

Tissu 4
Fabric 4

7.5 cm

F   F

3"

Tissu 2
Fabric 2

3"

E
E

7.5 cm

3"

7.5 cm

Schéma 5
Diagram 5

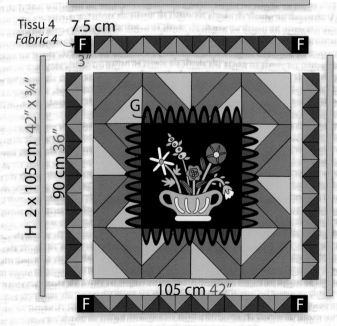

H 2 x 105 cm   42" x ¾"

90 cm 36"

G

105 cm 42"

F   F

Schéma 6 - **D**iagram 6

29

16.5 cm

16.5 cm

16.5 cm

16.5 cm

Tissu 4
Fabric 4

J
K

K

K

142 cm

109 cm
16.5 cm

142 cm

142 cm

L
M

Tissu 10 / Fabric 10

Schéma 7
Diagram 7

Schéma 8 - Diagram 8

Schéma 9 - Diagram 9

Schéma 7 : Pour les blocs d'angle : Construisez 4 carrés bicolores composés chacun d'un triangle B (tissu 6) et d'un triangle B (tissu 7).
Sur ces 4 carrés bicolores ainsi obtenus, appliquez la marguerite de même manière que le vase central, en suivant l'ordre numérique des gabarits. Réalisez un point de feston autour de chacune avec un fil à broder noir. Les tiges sont du côté tissu 7 et la fleur, du côté tissu 6.

Schéma 8 : Pour la bordure finale : Sur chaque bande K, reportez 7 fois le gabarit de l'arceau et cousez sur chaque tracé un biais J. A droite et à gauche du panneau, cousez une bande ainsi constituée en prenant les extrémités des biais dans la couture. En haut et en bas, faites de même avec les deux bandes restantes après avoir complété leurs extrémités par 1 bloc d'angle et orientant les tiges vers l'extérieur.

Schéma 9 : Sur les bandes H et I, au niveau des intersections des biais J, thermo-collez les ronds L à «bords francs». Réalisez un point de feston autour de chacun avec un fil à broder noir. De la même façon, appliquez les petits ronds M au centre de chaque rond L. Festonnez avec un fil à broder noir.

Diagram 7: For the corner blocks, make four bicolour squares, each composed of one B triangle of Fabric 6 and one B triangle of Fabric 7.
On these four bicolour squares obtained, appliqué the daisy in the same manner as for the centre vase, following the numerical order of the templates. Sew around each one in blanket stitch with black embroidery floss. The stems are placed on the Fabric 7 side and the flower on Fabric 6.

Diagram 8: For the outer border, onto each K strip transfer the template design for the arch seven times and stitch a J bias binding piece onto each marking. Stitch one of these strips on each of the right and left sides of the panel, enclosing the ends of the binding in the seam. Repeat with the two remaining strips on the top and bottom, after completing their ends with one corner block, orienting the stems toward the outside.

Diagram 9: On the H and I strips, where the J bias binding intersects, adhere the L circles using your iron and the raw edge technique. Sew around each circle in blanket stich with black embroidery floss. In the same manner, appliqué the small M circles in the centre of each L circle. Blanket stitch with black embroidery floss.

Bâtissez l'ouvrage sur le molleton et la doublure. Matelassez à 5 mm (¹⁄₈'') autour des languettes D avec un fil vert et le côté intérieur des arceaux de biais avec un fil noir. Le reste est matelassé dans la couture. Fermez l'ouvrage avec les 4 bandes de finition cousues tout autour et rabattues sur l'envers.

Layer the quilt top, batting and backing and baste. Quilt at 5 mm (¹⁄₈'') around the D tabs with green thread and the inner side of the bias arcs with black thread. The remainder is quilted in the ditch.
Complete the quilt with the four finishing strips sewn all around and turned to the back.

Pelote à Épingles
Pin Cushion

Dimensions de L'ouvrage : 10 x 10 cm (4" x 4")
Project dimensions: 10 x 10 cm (4" x 4")

Débutant - Beginner

32

Fournitures :

- Lainage noir uni pour le dessus de la pelote :
  15 x 15 cm (6" x 6")
- Lainage vert côtelé pour les feuilles : 10 x 15 cm
  (4" x 6")
- Soie violine unie pour le dessous de la pelote :
  15 x 15 cm (6" x 6")
- Soie bleutée pour la petite rosette : 5 x 20 cm
  (2" x 8")
- Velours marron uni pour la grande rosette :
  4 x 30 cm (1 ½" x 12")
- Ruban de soie marron de 1 cm (³⁄₈") de large :
  50 cm (½ yd)
- Un bouton marron fantaisie : 2.5 cm (1") de
  diamètre
- Laine verte pour la broderie des feuilles
- Fils à broder noir 5 brins
- Ouatine.

Coupe :

*Les mesures données pour la coupe de la
pièce A incluent une marge de couture de
7 mm (¼") arrondie à 15 mm (½") pour
les deux. Les autres éléments sont à
«bords francs», n'ajoutez pas de
marge de couture.*

- Dans le lainage noir
  uni :
  - Un rond A de
  12.5 cm (5") de
  diamètre
- Dans la soie
  violine unie :
  - Un rond A de
  12.5 cm (5")
  de diamètre
- Dans le
  lainage
  vert
  côtelé :
  - 3 feuilles
  B.

Materials:

- Black solid felted wool for the pin cushion top:
  15 x 15 cm (6" x 6")
- Green ribbed felted wool for the leaves: 10 x 15 cm
  (4" x 6")
- Dark purple solid silk for the pin cushion
  underside: 15 x 15 cm (6" x 6")
- Blue silk for the small bow: 5 x 20 cm (2" x 8")
- Chestnut brown solid velvet for the large bow:
  4 x 30 cm (1 ½" x 12")
- Chestnut brown silk ribbon 1 cm (³⁄₈") in width:
  50 cm (½ yd)
- One decorative chestnut brown button: 2.5 cm
  (1") in diameter
- Green wool for embroidering the leaves
- Embroidery floss (5 strands): black
- Stuffing.

Cutting:

*The measurements given for cutting the A
piece include a seam allowance of 7 mm
(¼"), rounded to 15 mm (½") for two
seams. The raw edge technique is
used for the other elements; do
not add seam allowance.*

- From the black solid
  felted wool, cut
  - one 12.5 cm (5") in
  diameter A circle
- From the dark
  purple solid silk,
  cut:
  - one 12.5
  cm (5") in
  diameter A
  circle
- From
  the green
  ribbed
  felted wool,
  cut:
  - three B
  leaves.

Réalisation :

Schéma 1 : Superposez le rond A de lainage noir et le rond A de soie violine endroit contre endroit et bord à bord. Cousez tout autour, d'un repère à l'autre à 7 mm (¼") du bord. Retournez-le sur l'endroit et garnissez la pelote de ouatine. Fermez l'ouverture par des points invisibles.

Schéma 2 : Préparez une grande aiguillée de fil à broder noir (5 brins). Piquez au centre et à travers la pelote, du dessus (noir) vers le dessous (violine). Repiquez de la même façon 5 fois au total en tirant le fil et en le positionnant de façon à faire ressortir 5 «quartiers» égaux de la pelote.

Schéma 3 : Passez un fil de fronce sur la longueur du velours marron uni. Serrez le fil pour faire une rosette. Fixez-la à points cachés au centre de la pelote (côté noir). Laissez le tour libre.

Schéma 4 : Brodez la nervure centrale de chaque feuille avec la laine verte au point de chaînette. Fixez les trois feuilles au centre de la pelote en les laissant libres.

Schéma 5 : Fixez le ruban de soie marron au centre de la pelote de façon à former 6 boucles en étoile.

Schéma 6 : Pliez la soie bleutée en deux dans le sens de la longueur. Passez un fil de fronce sur toute la longueur opposée au pli en prenant les 2 épaisseurs. Serrez le fil pour faire une rosette. Fixez-la à point cachés au centre de la pelote. Laissez le tour libre.

Schéma 7 : Cousez le bouton fantaisie au centre de la pelote à épingle en passant à travers le coussin. Tirez bien le fil pour «enfoncer» le bouton dans la pelote.

Making the pin cushion:

Diagram 1: Layer the black felted wool A circle and the dark purple silk A circle with right sides together and edge to edge. Sew all around, from one mark to the other at 7 mm (¼") from the edge. Turn to the right side and insert the stuffing. Close the opening with invisible stitches.

Diagram 2: Thread a needle with a long length of five strands of black embroidery floss. Insert the needle in the centre and through the pin cushion, from the top (black) toward the underside (purple). Re-insert the needle in the same manner five times in total, pulling the floss and positioning it so as to divide the pin cushion into five equal sections.

Diagram 3: Pass a gathering thread along the length of chestnut brown solid velvet. Pull on the thread to make a bow. Attach it with concealed stitches to the pin cushion centre on the black side. Leave the edge unstitched.

Diagram 4: Embroider the centre vein of each leaf in chain stitch using the green wool. Attach the three leaves to the pin cushion centre only, leaving the leaves free.

Diagram 5: Attach the chestnut brown silk ribbon at the pin cushion centre to form six loops in a star shape.

Diagram 6: Fold the blue silk in two along the length. Pass a gathering thread along the entire length opposite to the fold, through two thicknesses. Pull the thread to make a bow. Attach it with concealed stitches to the pin cushion centre. Leave the edge free.

Diagram 7: Stitch the decorative button to the pin cushion centre, passing through the cushion. Pull tightly on the thread to securely attach the button to the pin cushion.

B
Feuille - Leaf

GABARITS À TAILLE RÉELLE
FULL SIZE TEMPLATES

11 cm 4 $^{3}/_{8}$"

A
Pelote
Pin cushion

Couper 2 fois
Cut two times

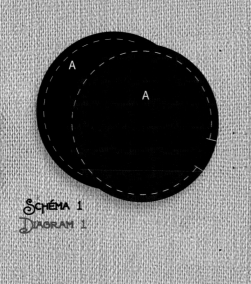

Schéma 1
Diagram 1

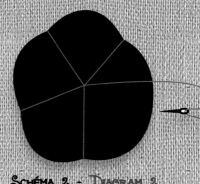

Schéma 2 - Diagram 2

Tissu velours
Velvet fabric

Schéma 3
Diagram 3

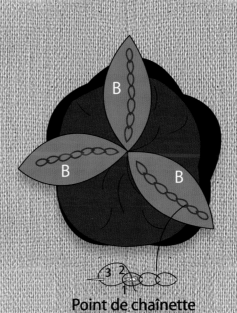

Point de chaînette
Chain stitch

Schéma 4 - Diagram 4

Schéma 5
Diagram 5

Schéma 6
Diagram 6

10 cm 4"

10 cm 4"

Schéma 7
Diagram 7

Dimensions de l'ouvrage : 19 x 38 cm (7 ½" x 16")
Project dimensions: 19 x 38 cm (7 ½" x 16")

Intermédiaire - Intermediate

Le Sac à Main à Fleurs
Flower Purse

Fournitures :

- Coton gratté beige uni fantaisie pour le sac :
  80 x 110 cm (31 ½" x 44")
- Coton beige imprimé à petits carreaux
  pour la doublure du sac : 100 x 110 cm
  (1yd x 44")
- Lainage ocre foncé uni pour la patte de
  boutonnage et le galon qui borde le sac :
  15 x 110 cm (6" x 44")
- Lainage noir uni pour la patte de boutonnage :
  10 x 15 cm (4" x 6")
- Lainage ocre foncé imprimé pour les fleurs et
  le pot de fleurs : 15 x 20 cm (6" x 8")
- Assortiment de lainage vert pour les tiges et
  les feuilles : 15 x 15 cm (6" x 6")
- Lainage marron foncé uni pour le pot et le

centre des fleurs : 10 x 10 cm (4" x 4")
- Lainage écru pour le cœur des fleurs : chute
- Fil à broder 5 brins : noir, vert kaki
- Fil à broder 2 brins : marron foncé, vert,
  ocre, marron clair, écru
- 1 bouton fantaisie noir de 2.5 cm (1") de
  diamètre
- 1 carton rigide pour le fond du sac : 7.5 x
  35.5 cm (2 ⅞" x 14")
- Molleton : 50 x 50 cm (½ yd x ½ yd)
- Voile thermocollant double face
- 2 poignées fantaisies avec une largeur de 14 cm
  (5 ½") d'ouverture pour passer les fixations
  (voir à la Couserie Créative)
- Colle pour tissu non repositionnable

Materials

- Beige solid brushed cotton with decorative print
  for the purse : 80 x 110 cm (31 ½" x 44")
- Beige print cotton with small checks for the purse
  lining : 100 x 110 cm (1 yd x 44")
- Dark ochre solid felted wool for the button flap and
  the trim for the purse edge : 15 x 110 cm (6" x 44")
- Black solid felted wool for the button flap : 10 x
  15 cm (4" x 6")
- Dark ochre print felted wool for the flowers and
  the flowerpot : 15 x 20 cm (6" x 8")
- Assortment of green felted wools for the stems
  and leaves : 15 x 15 cm (6" x 6")
- Dark chestnut brown solid felted wool for the
  flowerpot and the flower centres : 10 x 10 cm
  (4" x 4")

- Ecru felted wool for the flower hearts : scrap
- Embroidery floss (5 strands) : black and khaki
  green
- Embroidery floss (2 strands) : dark chestnut
  brown, green, ochre, light chestnut brown and
  ecru
- One black decorative button 2.5 cm (1") in
  diameter
- One piece of rigid cardboard for the purse bottom :
  7.5 x 35.5 cm (2 ⅞" x 14")
- Batting : 50 x 50 cm (½ yd x ½ yd)
- Double-sided fusible web
- Two decorative handles with a width of 14 cm
  (5 ½") of the opening for inserting hardware
- Permanent fabric adhesive

Coupe :

Tous les appliqués, la patte de boutonnage et le galon bordant le sac sont réalisés à «bords francs» festonnés. N'ajoutez pas de marge de couture à leur gabarit. Chacun de ses éléments est reporté sur le voile thermocollant double face (sauf la patte de boutonnage et le galon bordant le sac), côté lisse (vérifiez le sens du dessin). Découpez grossièrement autour de chaque motif tracé. A l'aide du fer à repasser (chaud et vapeur), collez chaque partie de dessin sur les tissus adéquats. Découpez ensuite sur le trait. Pour les pièces A, B, C et F, il sera nécessaire d'ajoutez aux gabarits des marges de coutures de 7 mm (¼") arrondies à 15 mm (⅛") pour les deux. Le rectangle E étant collé, n'ajoutez pas de marge de couture.

- Dans le coton gratté beige uni fantaisie pour le sac :
  - 1 rectangle A de 39.5 x 51.5 cm (15 ½" x 20 ½")
  - 2 pièces C (marquez le repère)
  - 2 rectangles F de 6.5 x 15.5 cm (2 ½" x 6")
- Dans le coton beige imprimé à petits carreaux pour la doublure du sac :
  - 1 rectangle A de 39.5 x 51.5 cm (15 ½" x 20 ½"),
  - 1 rectangle B de 12.5 x 18.5 cm (4 ⁷/₈" x 7 ¼") (marquez l'emplacement de la poche),

- 2 pièces C (marquez le repère)
- 1 rectangle E de 16 x 40 cm (6 ¼" x 16")
- Dans le lainage ocre foncé uni :
  - La patte de boutonnage D (marquez la boutonnière)
  - 2 bandes de 3 x 45 cm (1 ¼" x 18") pour le galon qui borde le sac
- Dans le lainage noir uni :
  - La patte de boutonnage D (marquez la boutonnière)
- Dans le lainage ocre foncé imprimé :
- 4 fleurs
- le bas du pot de fleurs
- Dans l'assortiment de lainage vert :
  - Les tiges,
  - les feuilles
- 4 ronds de fleurs
- Dans le lainage marron foncé uni :
- Le haut du pot
- le centre des fleurs
- Dans le lainage écru :
  - Le cœur des fleurs
- Dans le molleton :
  - 1 pièce A
  - 2 pièces C

Cutting:

A seam allowance of 7 mm (¼"), rounded to 15 mm (½") for two seams, must be added to the templates for pieces A, B, C and F. The E rectangle will be glued on; therefore do not add seam allowance. All appliqués, the button flap and the purse trim use the raw edge technique. Do not add seam allowance to their templates. Each design element is transferred to the smooth side of the double-sided fusible web (check that it is the right way), except for the button flap and the trim for the purse edge. Loosely cut around each marked piece. With a hot iron and using steam, adhere each piece to fabric of sufficient size. Then cut on the marking.

- From the beige solid brushed cotton in a decorative print for the purse, cut the following:
- one 39.5 x 51.5 cm (15 ⅛" x 20 ⅛") A rectangle
- two C pieces (place the reference mark)
- two 6.5 x 15.5 cm (2 ½" x 6") F rectangles
- From the beige cotton with small checks for the purse lining, cut the following:
- one 39.5 x 51.5 cm (15 ½" x 20 ½") A rectangle
- one 12.5 x 18.5 cm (4 ⁷/₈" x 7 ¼") B rectangle (mark the pocket position)
- two C pieces (place the reference mark)

- one 16 x 40 cm (6 ¼" x 16") E rectangle
- From the dark ochre solid felted wool, cut the following:
- the D button flap (mark the buttonhole)
- two 3 x 45 cm (1 ¼" x 18") strips for the edge trim
- From the black solid felted wool, cut:
- the D button flap (mark the buttonhole).
- From the dark ochre print felted wool, cut the following:
- four flowers
- the flowerpot base
- From the assortment of green felted wools, cut the following:
- the stems
- the leaves
- four flower circles
- From the dark chestnut brown solid felted wool, cut the following:
- the flowerpot top
- the flower centres
- From the ecru felted wool, cut the flower hearts.
- From the batting, cut the following:
- one A piece
- two C pieces

A

38 cm 15

20 cm 8"

Milieu / *Centre*

10cm
4"

Schéma 1
Diagram 1

Poche / *Pocket*

Ourlet
Hem

B

11 cm

17 cm

A

2.5 cm
1"

Emplacement
poche
Pocket position

10.5 cm
4 1/8"

Doublure
Lining

Schéma 2 - Diagram 2

Réalisation :

Schéma 1 : Pour le corps du sac : Sur l'endroit du rectangle A en coton gratté beige, reportez les grandes lignes du motif à appliquer en vous référant au schéma. Appliquez les fleurs et le pot à «bords francs» en suivant l'ordre numérique des gabarits. Otez la pellicule de papier du voile thermocollant doublant chaque élément. Fixez vos pièces au fer à repasser (chaud et vapeur). Réalisez un point de feston autour de chacune avec un fil à broder 2 brins de la même couleur que les tissus.

Schéma 2 : Sur l'envers de la poche B, faites un ourlet de 7 mm (¼") sur une des longueurs. Sur les 3 autres côtés, créez un rentré de 7 mm et cousez cette poche à l'emplacement prévu sur l'endroit du rectangle A de doublure, en laissant ouvert le haut de la poche (ourlet).

Making the purse:

Diagram 1: For the main part of the purse, on the right side of the beige brushed cotton A rectangle, mark the appliqué outline, referring to the diagram. Appliqué the flowers and the flowerpot using the raw edge technique, following the numerical order of the templates. Remove the paper film from the fusible web lining each element. Adhere your pieces with a hot iron, using steam. Sew around each piece in blanket stitch, using two strands of embroidery floss in the same colour as the fabrics.

Diagram 2: On the wrong side of the B pocket, make a 7 mm (¼") hem on one of the long sides. On the three other sides, make a turn-under allowance of 7 mm (¼") and stitch this pocket to its assigned spot on the right side of the A lining rectangle, leaving the top of the pocket (hem) open.

Réalisation (suite) :

Schéma 3 : Superposez la doublure (avec la poche en bas) et le dessus du sac (avec les appliqués en haut), envers contre envers et bord à bord en insérant entre les deux le molleton. Bâtissez ces 3 épaisseurs.

Schéma 4 : Pour les côtés du sac : Superposez une pièce C en tissu imprimé à carreaux et une pièce C en coton gratté, envers contre envers en insérant entre les deux le molleton. Bâtissez ces 3 épaisseurs. Faites le second côté de la même façon.

Schéma 5 : Au milieu du corps du sac faites une couture sur toute la largeur, à travers toutes les épaisseurs. Faites un ourlet de 1.5 cm (½") en haut et en bas du sac à points cachés.

Schéma 6 Faites un ourlet de 1.5 cm (½") en haut (partie la moins large) des 2 côté C du sac à points cachés.

Schéma 7 : Bâtissez les côtés en superposant leur repère sur la couture centrale du corps du sac bord à bord et doublure contre doublure. Cousez tout le tour des côtés sur le sac à 7 mm (¼") du bord en laissant le haut ouvert (ourlet). Les coutures sont vers l'extérieur.

Schéma 8 : Positionnez la bande de galon en lainage ocre foncé à «bord franc», à cheval sur les coutures du sac en rentrant les extrémités. Festonnez avec le fil à broder 5 brins noir.

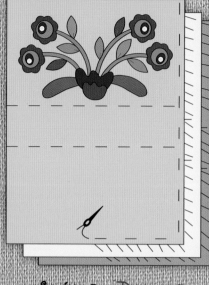

Schéma 3 - Diagram 3

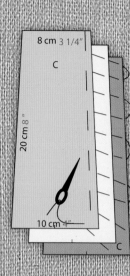

8 cm 3 1/4"

C

20 cm 8"

10 cm 4"

C

Schéma 4
Diagram 4

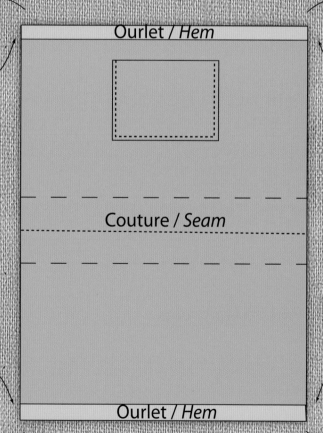

Ourlet / *Hem*

Couture / *Seam*

Ourlet / *Hem*

Schéma 5 - Diagram 5

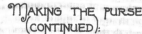

Côté
Side

Schéma 6 - Diagram 6

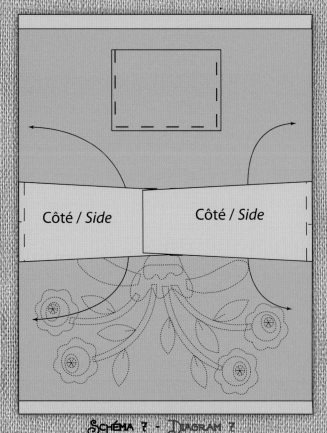

Côté / *Side*

Côté / *Side*

Schéma 7 - Diagram 7

Galon ocre / *Ochre trim*

Schéma 8 - Diagram 8

Making the Purse (continued):

Diagram 3: Layer the lining, with the pocket on the bottom, and the purse top (with the appliqués on the top), wrong sides together and edge to edge, inserting the batting between the two. Baste these three layers together.

Diagram 4: For the purse sides, layer one C piece in checked fabric and one C piece in brushed cotton, wrong sides together, inserting the batting between the two. Baste these three layers together. Make the second side in the same manner.

Diagram 5: In the centre of the main part of the purse make a seam along the entire width, through all layers. Make a hem of 1.5 cm (½") on the purse top and bottom in concealed stitches.

Diagram 6: Make a hem at 1.5 cm (½") on the top (the narrower part) of the two C sides, using a concealed stitch.

Diagram 7: Baste the sides, matching their reference mark on the centre seam of the main part of the purse, edge to edge and lining against lining. Stitch all around the sides on the purse at 7 mm (¼") from the edge, leaving the top open (hem). The seams are toward the outside.

Diagram 8: Position the dark ochre felted wool trim as for the raw edge technique, extending over the purse seams, turning under the ends. Blanket stitch with five strands of black embroidery floss.

Schéma 9 : Pour la patte de boutonnage : Superposez la pièce en lainage noir D sur la pièce en lainage ocre foncé D envers sur envers et bord à bord. Festonnez tout le tour à «bord franc» avec un fil à broder 5 brins noir. Sur le repère central, incisez les 2 épaisseurs et festonnez une boutonnière de 2.5 cm (1") avec un fil à broder 2 brins ocre.

Schéma 10 : Pour la fixation de poignée : Sur l'envers d'une pièce F, rabattez 7 mm (¼") de tissu sur tout le tour et repassez. Glissez cette pièce dans la fente de la poignée. Cousez ce manchon à points cachés sur le côté intérieur du sac en la centrant. Faites la seconde fixation de la même façon et cousez-la de l'autre côté de l'ouverture face à la première.

Schéma 11 : Pour le fond du sac : Centrez le carton sur l'envers du rectangle E. Rabattez le tissu sur les 4 côtés en le collant.

Schéma 12 : Posez le fond en carton dans le fond du sac. Cousez le bouton fantaisie sur le devant du sac. Cousez la patte de boutonnage sur le dos du sac entre les 2 anses à points cachés, côté ocre à l'extérieur.

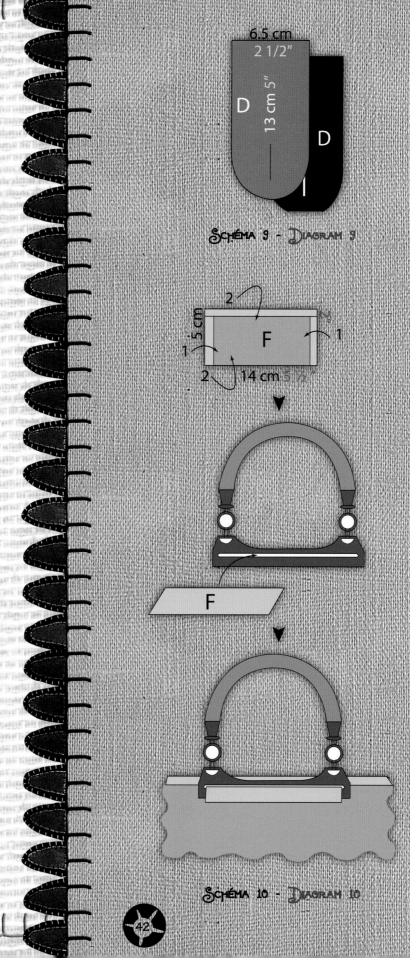

Schéma 9 - Diagram 9

Schéma 10 - Diagram 10

E

7.5 cm

35.5 cm 14"

Carton / *Cardboard*

3"

40 cm 16

16 cm 6 ¼"

2

1

3

1

19 cm 7 1/2"

38 cm 15"

SCHÉMA 12 - DIAGRAM 12

Diagram 9: For the button flap, layer the D black felted wool piece on the D dark ochre felted wool piece, wrong sides together and edge to edge. Sew all around as for the raw edge technique, in blanket stitch and using five strands of black embroidery floss. On the centre mark, slit the two layers and sew the 2.5 cm (1") buttonhole in blanket stitch with two strands of ochre embroidery floss.

Diagram 10: To attach the handle, on the wrong side of one F piece, turn under 7 mm (¼") of fabric all around and press. Insert this piece in the handle slot. Stitch this sleeve with concealed stitches onto the inner side of the purse, centring it. Make the second handle in the same manner and attach on the other side of the opening, facing the first handle.

Diagram 11: For the purse bottom, centre the cardboard piece on the wrong side of the E rectangle. Turn the fabric to the four sides, affixing it with the adhesive.

Diagram 12: Place the cardboard base in the bottom of the purse. Sew the decorative button on the purse front. Stitch the button flap on the purse back between the two handles, using a concealed stitch and with the ochre side on the outside.

43

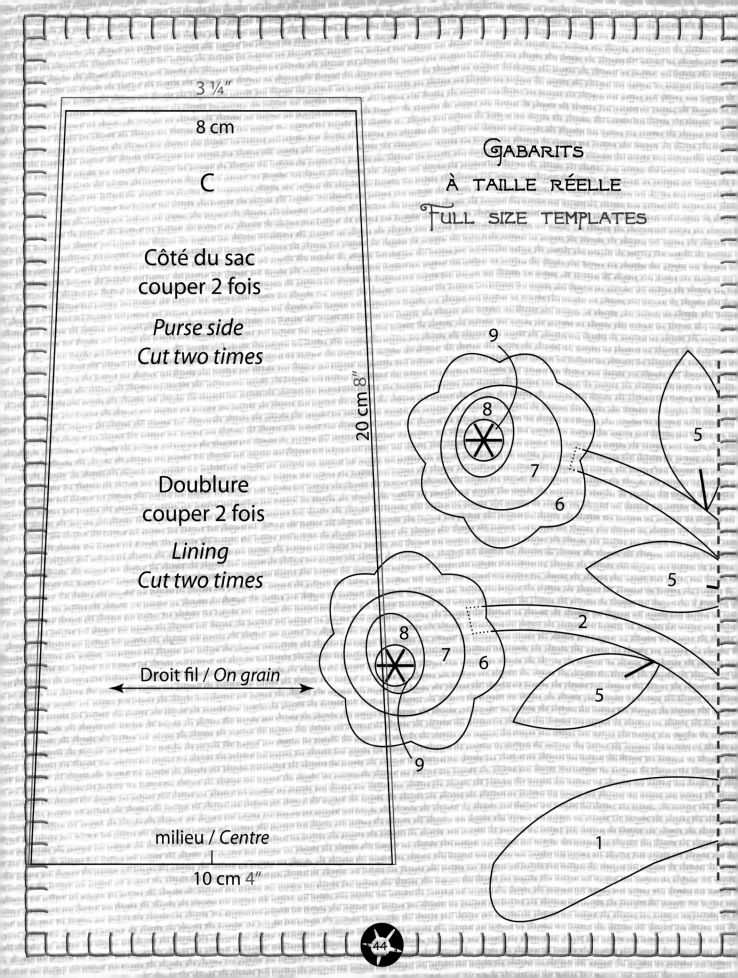

3 ¼″

8 cm

C

Côté du sac
couper 2 fois

Purse side
Cut two times

Doublure
couper 2 fois

Lining
Cut two times

Droit fil / *On grain*

milieu / *Centre*

10 cm 4″

20 cm 8″

GABARITS
À TAILLE RÉELLE
FULL SIZE TEMPLATES

9

8

7

6

5

5

2

8

7

6

5

9

1

13 cm 5 ⅛"

6,5 cm 2 ½"

Droit fil / On grain

D

boutonnière

Buttonhole

Patte de
boutonnage
couper 2 fois

*Button flap
Cut two times*

Broderie

Embroidery

=

-Lainage marron foncé pour le rectangle A : 21 x 25 cm (8 ¼" x 10")
-Lainage moutarde pour le rectangle B : 25 x 30 cm (10" x 12")
-Lainage ocre jaune pour les ronds des fleurs : 10 x 10 cm (4" x 4")
-Lainage vert pour les tiges et les feuilles : 10 x 15 cm (4" x 6")
-Lainage beige pour le pot : 10 x 15 cm (4" x 6")
-lainage marron clair pour le rebord du pot : 5 x 10 cm (2" x 4")
-Lainage marron moyen pour l'étoile : 6 x 6 cm (2 ½" x 2 ½")
-Fil à broder 2 brins : marron, moutarde, beige, vert
-Grosse laine à broder ombrée moutarde pour les fleurs
-Voile thermocollant double face
-1 cadre à la fenêtre intérieure de 21 x 26 cm (8 ¼" x 10 ¼")
-1 plaque de carton rigide aux dimensions de la fenêtre interne du cadre prévu

Chrysanthèmes en Pot
Pot of Chrysanthemums

Dimensions du quilt : 142 x 142 cm (56 ½" x 56 ½")
Taille du medaillon : 45 cm de côté (18")
Quilt dimensions: 142 x 142 cm (56 ½" x 56 ½")
Medallion size: 45 cm square (18")

Intermédiaire - Intermediate

Materials:

- Dark chestnut brown wool for the A rectangle: 21 x 25 cm (8 ¼" x 10")
- Mustard wool for the B rectangle: 25 x 30 cm (10" x 12")
- Ochre yellow wool for the flower circles: 10 x 10 cm (4" x 4")
- Green wool for the stems and leaves: 10 x 15 cm (4" x 6")
- Beige wool for the pot: 10 x 15 cm (4" x 6")
- Light chestnut brown wool for the pot rim: 5 x 10 cm (2" x 4")

- Medium chestnut brown wool for the star: 6 x 6 cm (2 ½" x 2 ½")
- Embroidery floss (2 strands): chestnut brown, mustard, beige and green
- Thick embroidery wool in shaded mustard for the flowers
- Double-sided fusible web
- One frame with inside window of 21 x 26 cm (8 ¼" x 10 ¼")
- One piece of rigid cardboard in the dimensions of the inside window of the frame selected

Coupe :

Les appliqués et le rectangle A sont réalisés à « bords francs » festonnés. N'ajoutez pas de marge de couture. Chacun de ces éléments est reporté sur le voile thermocollant double face, côté lisse (vérifiez le sens du dessin). Découpez grossièrement autour de chaque motif tracé. A l'aide du fer à repasser (chaud et vapeur) collez chaque partie de dessin sur les tissus adéquats. Découpez ensuite sur le trait.

- Dans le lainage marron foncé :
- le rectangle A de 21 x 25 cm (8 ¼" x 10")
- Dans le lainage moutarde :
- le rectangle B de 25 x 30 cm (10" x 12")
- Dans le lainage ocre jaune :
- les 3 ronds des fleurs
- Dans le lainage vert :
- les 3 tiges et les 5 feuilles
- Dans le lainage beige :
- le pot (évidez les anses)
- Dans le lainage marron clair :
- le rebord du pot
- Dans le lainage marron moyen :
- l'étoile

Cutting:

The raw edge technique is used for the appliqués and the A rectangle. Do not add seam allowance. Each design element is transferred to the smooth side of the double-sided fusible web (check that it is the correct way). Loosely cut around each marked piece. With a hot iron and using steam, adhere each piece to fabric of sufficient size. Then cut on the marking.

- From the dark chestnut brown wool, cut one 21 x 25 cm (8 ¼" x 10") A rectangle.
- From the mustard wool, cut one 25 x 30 cm (10" x 12") B rectangle.
- From the ochre yellow wool, cut the three flower circles.
- From the green wool, cut the three stems and five leaves.
- From the beige wool, cut the pot (cut out the handles).
- From the light chestnut brown wool, cut the pot rim.
- From the medium chestnut brown wool, cut the star.

Réalisation :

Schéma 1 : Sur l'endroit du rectangle A, centrez et appliquez les éléments à « bords francs » en suivant l'ordre numérique des gabarits. Otez la pellicule de papier du voile thermocollant doublant chaque pièce. Fixez-les au fer à repasser (chaud et vapeur). Réalisez un point de feston autour de chacune avec un fil à broder de la même couleur que les tissus.

Schéma 2 : En vous référant au schéma ainsi qu'aux pages 10 et 11, brodez les trois ronds de lainage ocre jaune au point de bouclette avec la laine à broder ombrée moutarde. Brodez leur centre de quelques nœuds coloniaux avec le fil marron. Brodez la nervure des feuilles au point de tige avec un fil à broder vert (2 brins).

Schéma 3 : Thermo-collez le rectangle A (avec appliqués) sur l'endroit du rectangle B, en le centrant. Festonnez-le avec un fil à broder marron (2 brins).

Schéma 4 : Tendez l'ensemble sur la plaque de carton rigide. Installez le tout dans le cadre.

Making the project

Diagram 1: On the right side of the A rectangle, centre and appliqué the elements using the raw edge technique in the numerical order of the templates. Remove the paper film from the fusible web lining each piece. Adhere the pieces with a hot iron, using steam. Blanket stitch around each piece with embroidery floss in the same colour as the fabrics.

Diagram 2: Referring to the diagram (see pages 10/11), embroider the three ochre yellow circles in lazy daisy stitch with the shaded mustard embroidery wool. Embroider their centre in a few colonial knot stitches with the chestnut brown floss. Embroider the leaf veins in stem stitch with two strands of green floss.

Diagram 3: Heat fuse the A rectangle (with appliqués) on the right side of the B rectangle, centring it. Blanket stitch with two strands of chestnut brown floss.

Diagram 4: Stretch your project over the rigid cardboard. Insert the entire project into the frame.

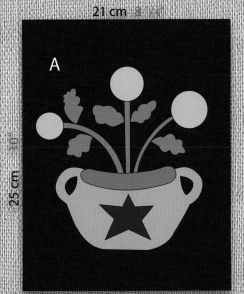

21 cm 8 1/4"

25 cm 10"

A

Schéma 1
Diagram 1

Point de bouclette
Lazy daisy stitch

Schéma 2
Diagram 2

30 cm 12"

25 cm 10"

B

Schéma 3
Diagram 3

21 cm 8 1/4"

21 cm 8 1/4"

B

26 cm 10 1/4"

Schéma 4
Diagram 4

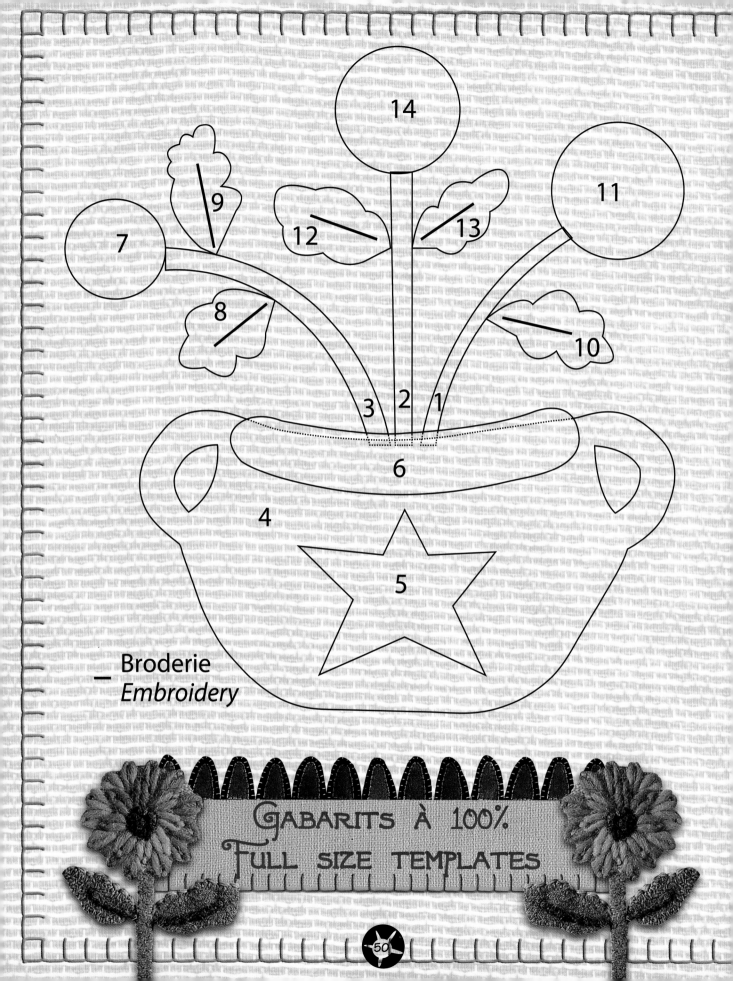

Broderie
Embroidery

GABARITS À 100%.
FULL SIZE TEMPLATES

La Poire Cale-porte
Pear Doorstop

Dimensions de
l'ouvrage : 16 x 25 cm
(6 ¼" x 9 ½")

Project dimensions:
16 x 25 cm
(6 ¼" x 9 ½")

Débutant
Beginner

Fournitures :

- Lainage jaune-orangé uni pour la poire : 15 x 100 cm (6" x 1yd)
- Lainage marron foncé uni pour le coussin : 25 x 50 cm (10" x ½yd)
- Lainage vert clair uni pour les feuilles : 15 x 20 cm (6" x 8")
- Lainage écru pour les fleurs : 10 x 15 cm (4" x 6")
- Lainage rouille uni pour la queue de la poire : 3 x 10 cm (1 ¼" x 4")
- Lainage marron clair uni pour les ronds : chute
- Lainage vert foncé uni pour la tige des fleurs : 2 x 250 cm (¾" x 2 ¾ yd)
- Laine cardée pour les nervures des feuilles et le cœur des fleurs : vert foncé et beige
- Une aiguille à carder la laine
- Ouatine
- Grains en plastique (Granulex) ou en caoutchouc (Gummi) pour lester le cale-porte
- Fil à broder 5 brins : marron foncé
- Fil de fer malléable : 80 cm (31 ½")
- Colle à tissu non temporaire

Coupe :

Les mesures données pour la coupe de la pièce A incluent une marge de couture de 7 mm (¹/₄") arrondie à 15 mm (¹/₂") pour les deux.
Les feuilles et les fleurs sont réalisées à «bords francs». N'ajoutez pas de marges de couture à leur gabarit.

- Dans le lainage jaune-orangé uni pour la poire :
  - 4 pièces A (marquez les repères)
- Dans le lainage marron foncé uni pour le coussin :
  - 2 ronds B de 20.5 cm (8 ¹/₈") de diamètre (marquez les repères)
- Dans le lainage vert clair uni :
  - 2 feuilles C et 8 feuilles D
- Dans le lainage écru :
  - 3 fleurs E et 3 fleurs F
- Dans le lainage marron clair uni :
  - 3 ronds G

Materials:

Yellow-orange solid felted wool for the pear: 15 x 100 cm (6" x 1 yd)
Dark chestnut brown solid felted wool for the cushion: 25 x 50 cm (10" x ½ yd)
Light green solid felted wool for the leaves: 15 x 20 cm (6" x 8")
Ecru felted wool for the flowers: 10 x 15 cm (4" x 6")
Rust solid felted wool for the pear stem: 3 x 10 cm (1 ¼" x 4")
Light chestnut brown solid felted wool for the circles: scrap
Dark green solid felted wool for the flower stems: 2 x 250 cm (¾" x 2 ¾ yd)
Carded wool for the leaf veins and the flower centres: dark green and beige
One felting needle
Stuffing
Plastic or rubber stuffing pellets for weighting the doorstop
Embroidery floss (5 strands): dark chestnut brown
Bendable metal wire: 80 cm (31 ½")
Permanent fabric adhesive

Cutting:

The measurements given for cutting the A piece include a seam allowance of 7 mm (¹/₄"), rounded to 15 mm (¹/₂") for two seams.
The raw edge technique is used for the leaves and flowers. Do not add seam allowance to their templates.

- From the yellow-orange solid felted wool for the pear, cut four A pieces (place reference marks).
- From the dark chestnut brown solid felted wool for the cushion, cut two B circles 20.5 cm (8") in diameter (place reference marks).
- From the light green solid felted wool, cut the following:
  - two C leaves
  - eight D leaves
- From the ecru felted wool, cut the following:
  - three E flowers
  - three F flowers
- From the light chestnut brown solid felted wool, cut three G circles.

Réalisation :

Schémas 1 et 2 : Reconstituez le corps de la poire en assemblant les parties A entre elles envers sur envers, à 7 mm (¼") du bord de la pointe du haut jusqu'au repère. Retournez le travail sur l'endroit. Rembourrez la poire avec la ouatine. Fermez à points cachés.

Schéma 3 : Enroulez le lainage rouille sur lui-même pour former la queue de la poire. Fermez à point cachés. Collez la queue sur le sommet de la poire.

Schéma 4 : Pour le socle du cale-porte, superposez les deux ronds B l'un sur l'autre, endroit sur endroit et bord à bord. Cousez le tour à 7 mm (¼") du bord d'un repère à l'autre. Retournez le travail sur l'endroit. Lestez le coussin avec les grains en plastique (ou en caoutchouc). Fermez à points cachés.

Schéma 5 : Préparez une grande aiguillée de fil à broder marron (5 brins). Piquez au centre et à travers le coussin, du dessus vers le dessous. Repiquez de la même façon 6 fois au total en tirant le fil et en le positionnant de façon à faire ressortir 6 «quartiers» égaux du coussin.

Schéma 6 : Collez la poire sur le coussin.

Schéma 7 : Superposez une fleur F, une fleur E et un rond G. Avec la laine à carder beige, piquetez un petit rond de 0.5 cm (⅛") de diamètre à travers les trois épaisseurs avec l'aiguille à carder. Faites deux autres fleurs de la même façon.

Schéma 8 : Sur chaque feuille C et D, piquetez une nervure avec la laine cardée vert foncé.

Schéma 9 : Enroulez le lainage vert foncé autour du fil de fer en le collant au fur et à mesure.

Schéma 10 : Positionnez la tige ainsi obtenue autour de la poire. Fixez-la sur la poire et le coussin par quelques points de colle, en laissant libre les extrémités. Collez une petite feuille D et une fleur à chaque extrémité de la tige. Entre le coussin et la poire, collez une grande feuille C et la dernière fleur. L'autre grande feuille C est collée sur la base de la queue au sommet de la poire. Les 6 petites feuilles D restantes sont collées sur la tige verte à intervalles réguliers.

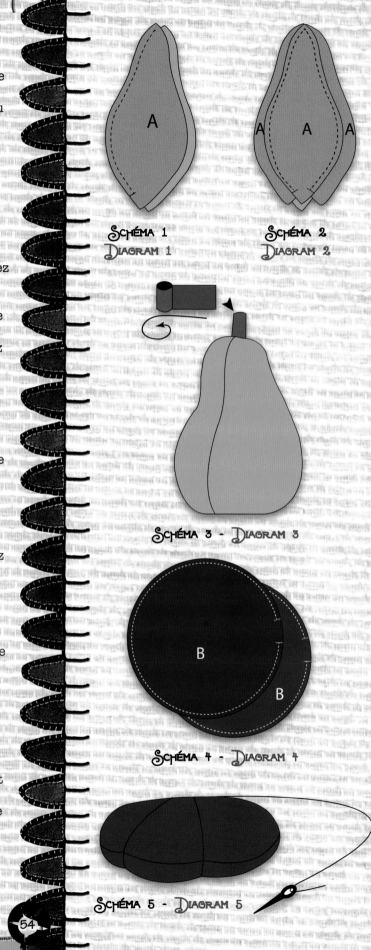

Schéma 1 — Diagram 1

Schéma 2 — Diagram 2

Schéma 3 — Diagram 3

Schéma 4 — Diagram 4

Schéma 5 — Diagram 5

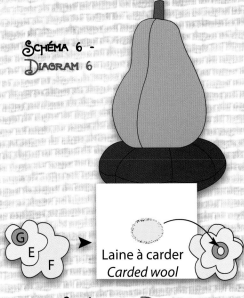

SCHÉMA 6 - DIAGRAM 6

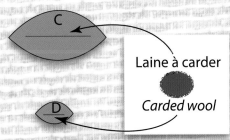

Laine à carder
Carded wool

SCHÉMA 7 - DIAGRAM 7

Laine à carder
Carded wool

SCHÉMA 8 - DIAGRAM 8

SCHÉMA 9 - DIAGRAM 9

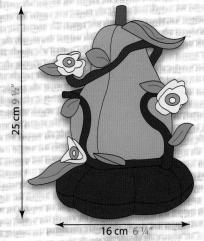

25 cm 9 ½"

16 cm 6 ¼"

SCHÉMA 10 - DIAGRAM 10

MAKING THE PROJECT

Diagrams 1 and 2: Make the main part of the pear by joining the A pieces, wrong sides together, at 7 mm (¼") from the edge from the top to the reference mark. Turn to the right side. Insert the stuffing. Close with concealed stitches.

Diagram 3: Roll the rust felted wool on itself to make the pear stem. Close with concealed stitches. Glue the stem to the pear top.

Diagram 4: For the doorstop base, layer the two B circles one on the other, right sides together and edge to edge. Stitch around at 7 mm (¼") from the edge from one mark to the other.
Turn to the right side. Insert plastic or rubber pellets to weight the base. Close with concealed stitches.

Diagram 5: Thread a needle with a long length of five strands of chestnut brown embroidery floss. Insert the needle in the centre and through the cushion, from the top toward the underside. Re-insert the needle in the same way, six times in total, pulling the floss and placing it so as to form six equal cushion sections.

Diagram 6: Glue the pear to the cushion.

Diagram 7: Layer one F flower, one E flower and one G circle. With the beige carded wool and using the felting needle, needle felt a small circle 0.5 cm (⅛") in diameter through the three layers. Make two more flowers in the same manner.

Diagram 8: On each C and D leaf, needle felt a vein with the dark green carded wool.

Diagram 9: Roll the dark green felted wool around the metal wire, gluing it as you go.

Diagram 10: Position the stem thus obtained around the pear. Adhere to the pear and the cushion with several dots of glue, leaving the ends free. Glue a small D leaf and one flower to each end of the stem. In between the cushion and the pear, glue one large C leaf and the last flower. The other large C leaf is glued to the base of the stem at the top of the pear. Glue the six small D leaves remaining to the green stem at regular intervals.

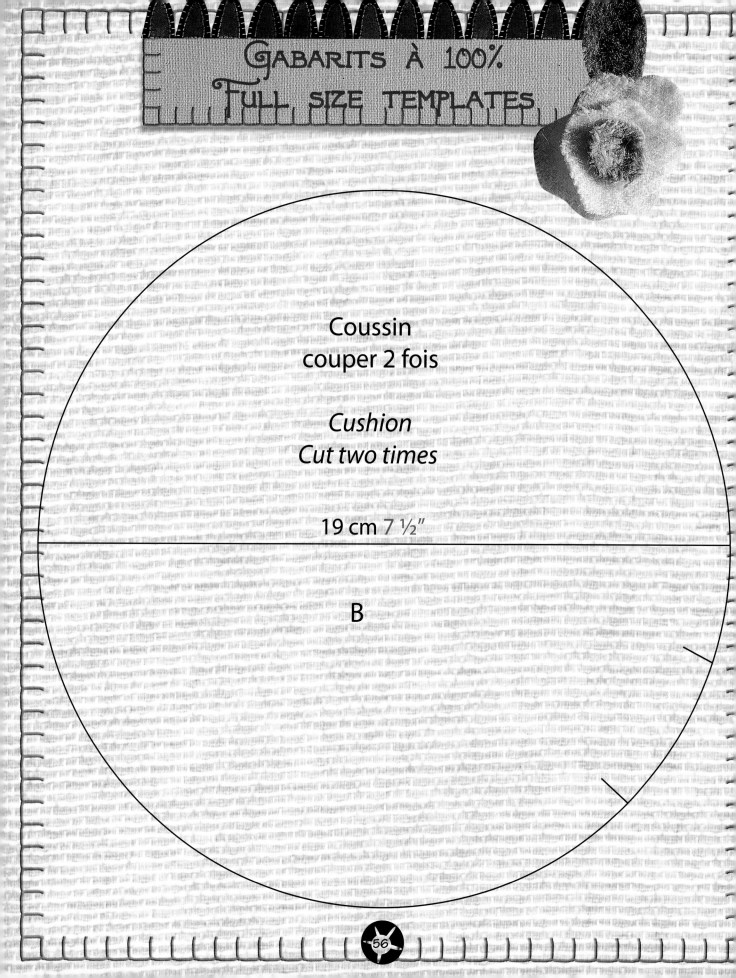

Coussin
couper 2 fois

*Cushion
Cut two times*

19 cm 7 ½"

B

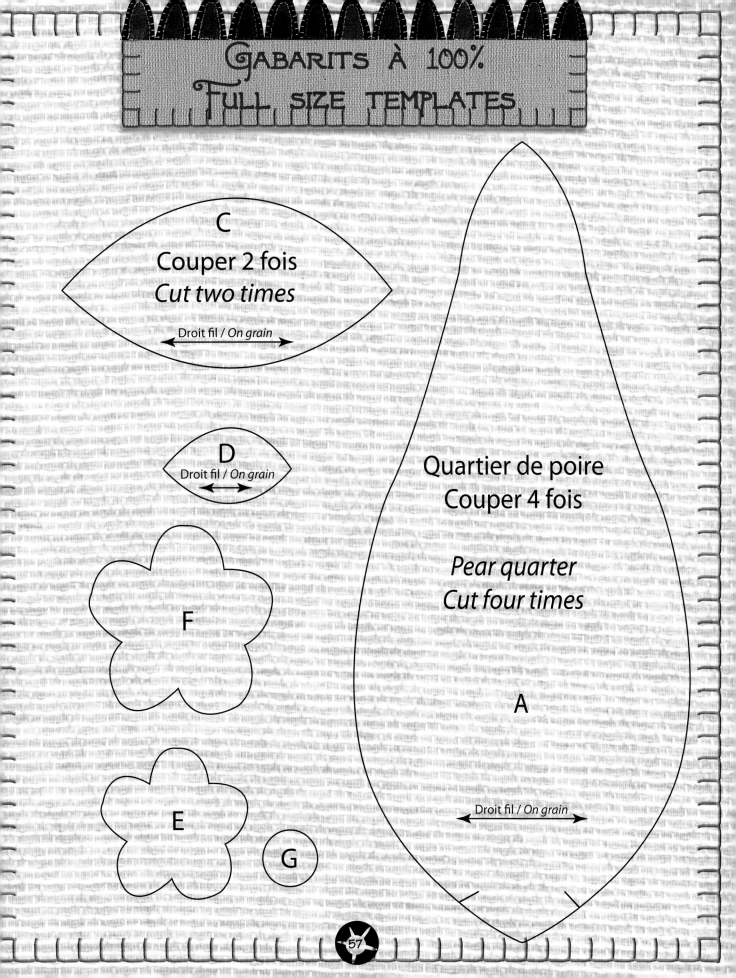

Gabarits à 100%
Full size templates

C
Couper 2 fois
Cut two times

Droit fil / *On grain*

D
Droit fil / *On grain*

F

E

G

Quartier de poire
Couper 4 fois

Pear quarter
Cut four times

A

Droit fil / *On grain*

Chat avec Fleurs
Cat with Flowers

Dimensions de l'ouvrage : 18 x 25 cm (7 $\frac{1}{8}$" x 10")

(dimensions du cadre non comprises).

Project dimensions: 18 x 25 cm (7 $\frac{1}{8}$" x 10")

(frame dimensions not included)

Débutant - Beginner

Fournitures

Une toile écrue est utilisée pour le fond. Il faut que ce tissu de base ait une trame serrée pour que les points tiennent bien. En général, on déconseille le tissu 100% coton pour préférer du tissu 60% polyester, 40% coton. Ce tissu s'appelle Weaver's Cloth: 25 x 30 cm (10" x 12")

Cotons à broder, 3 choix possibles : W = Week's Dye Works hand-dyed floss; GA = The Gentle Art hand-dyed-floss; DMC (N'utilisez que 3 brins à la fois.)

- Rayures du chat : **W** : Mascara; **GA** : Black crow; **DMC** : 310
- Nez, bouche, oreilles : **W** : Pelican gray; **GA** : Barn grey; **DMC** : 169
- Pupilles : **W** : Mascara; **GA** : Black crow; **DMC** : 310
- Éclat des yeux : **W** : Linen; **GA** : Oatmeal; **DMC** : ecru
- Yeux: **W** : Sand; **GA** : Adobe; **DMC** : 224
- Corps: **W** : Caper; **GA** : Dk. Chocolate; **DMC** : 389
- Cœurs des fleurs : **W** : Whitewash; **GA** : Oatmeal; **DMC** : 644
- Fleurs :
  W : Grape Ice; **GA** : Blueberry; **DMC** : 3041
  W : Mulberry; **GA** : Royal purple; **DMC** : 791
  W : Deep sea; **GA** : Purple iris; **DMC** : 451
  W : Williamsburg blue; **GA** : Old blue paint; **DMC** : 160
  W : Plum; **GA** : Black raspberry; **DMC** : 327
- Tours et nervures des feuilles : **W** : Juniper; **GA** : Dried thyme; **DMC** : 3051
- Feuilles : **W** : Kudzu; **GA** : Chamomille; **DMC** : 3053
- Fond : **W** : Dolphin; **GA** : Tin Bucket; **DMC** : 318
- Aiguille spéciale «Punch Needle» et sa notice explicative avec l'enfile-aiguille spécial
- Toile de lin bleue très pale : 25 x 30 cm (10" x 12")
- Assortiment de lainages (vert, bleu, mauve, violet, écru) pour les fleurs appliquées : chutes
- Facultatif : carbone spécial tissu
- 1 tambour à broder de 20 à 22 cm (8" to 9") de diamètre
- 1 cadre aux dimensions intérieures de 18 x 25 cm (7 $\frac{1}{8}$" x 10")
- 1 plaque de carton rigide aux dimensions de la fenêtre interne du cadre prévu
- 1 cutter
- Voile thermocollant double face

Materials:

Ecru linen is used for the background. This fabric needs to be tightly woven so that the stitches will hold. In general, 100% cotton fabric should not be used; fabric that is 60% polyester and 40% cotton is preferable. This fabric is called Weaver's Cloth: 25 x 30 cm (10" x 12")

Embroidery floss: three possible choices: W: Week's Dye Works hand-dyed floss; GA: the Gentle Art hand-dyed floss; DMC (Use only three strands at a time)

- Stripes on the cat: **W**: Mascara; **GA**: Black Crow; **DMC**: 310
- Nose, mouth and ears: **W**: Pelican Gray; **GA**: Barn Gray; **DMC**: 169
- Pupils: **W**: Mascara; **GA**: Black Crow; **DMC**: 310
- Lightness in the eyes: **W**: Linen; **GA**: Oatmeal; **DMC**: ecru
- Eyes: **W**: Sand; **GA**: Adobe; **DMC**: 224
- Body: **W**: Caper; **GA**: Dark Chocolate; **DMC**: 389
- Flower centres:
  W: Whitewash; **GA**: Oatmeal; **DMC**: 644
- Flowers:
  W: Grape Ice; **GA**: Blueberry; **DMC**: 3041
  W: Mulberry; **GA**: Royal Purple; **DMC**: 791
  W: Deep Sea; **GA**: Purple Iris; **DMC**: 451
  W: Williamsburg Blue; **GA**: Old Blue Paint; **DMC**: 160
  W: Plum; **GA**: Black Raspberry; **DMC**: 327
- Leaf edgings and veins: **W**: Juniper; **GA**: Dried Thyme; **DMC**: 3051
- Leaves: **W**: Kudzu; **GA**: Chamomile; **DMC**: 3053
- Background: **W**: Dolphin; **GA**: Tin Bucket; **DMC**: 318
- Special needle for punch needle and its instructions with the special needle threader
- Very pale blue linen fabric: 25 x 30 cm (10" x 12")
- Assortment of wools in green, blue, mauve, purple and ecru for the appliquéd flowers: scraps
- Optional: special tracing paper for fabric
- One embroidery hoop of 20 to 22 cm (8" or 9") in diameter
- One frame with inside dimensions of 18 x 25 cm (7 $\frac{1}{8}$" x 10")
- One piece of rigid cardboard in the dimensions of the inside window of the frame selected
- One cutter
- Double-sided fusible web

Coupe :

Les appliqués sont réalisés à «bords francs» festonnés.
N'ajoutez pas de marge de couture. Chacun de ces éléments est reporté sur le voile thermocollant double face, côté lisse (vérifiez le sens du dessin).
Découpez grossièrement autour de chaque motif tracé. A l'aide du fer à repasser (chaud et vapeur) collez chaque partie de dessin sur les tissus adéquats. Découpez ensuite sur le trait.

- Dans la toile écrue de fond :
-1 rectangle A de 25 x 30 cm (10" x 12")
- Dans la toile de lin bleue très pâle :
-1 rectangle B de 25 x 30 cm (10 x 12")
- Dans l'assortiment de lainages :
-en vert : les tiges et les feuilles
-en bleu, mauve, violet, écru : les fleurs

Réalisation :

Schéma 1 : Reportez le motif à broder sur l'envers du rectangle A par transparence ou à l'aide d'un carbone spécial tissu dans le sens présenté sur le gabarit c'est-à-dire inversé par rapport au modèle final.

Lisez attentivement la notice de votre matériel à «Punch Needle», sélectionnez la position selon le matériel choisi, ici position 1 et préparez l'enfilage de l'aiguille :

Glissez l'enfile-aiguille dans l'aiguille jusqu'à ce que son bout pointu ressorte à l'autre bout du manche.

Coupez une longueur de fil à broder (correspondant à une bonne coudée). Enfilez les brins de coton à broder choisi dans l'enfile-aiguille.

Faites passer l'enfile-aiguille avec le fil à broder à travers le manche et repassez l'enfile-aiguille dans le chas de l'aiguille. Conservez le fil dans le chas de l'aiguille en retirant doucement l'enfile-aiguille.

Schéma 2 : Tendez bien la toile du rectangle A sur le tambour à broder, l'envers, (donc le motif), vers vous.

La broderie se travaille sur l'envers du tissu, les boucles se formant sur l'endroit.

Cutting:

The raw edge technique is used for the appliqués.
Do not add seam allowance.
Each design element is transferred to the smooth side of the double-sided fusible web (check that it is the correct way).
Loosely cut around each marked piece.
With a hot iron and using steam, adhere each piece to fabric of sufficient size. Then cut on the marking.

- From the ecru linen for the background, cut one 25 x 30 cm (10" x 12") A rectangle.
- From the very pale blue linen fabric, cut one 25 x 30 cm (10" x 12") B rectangle.
- From the assortment of wools, cut the following:
- from the green: the stems and leaves
- from the blue, mauve and purple: the flowers.

Making the project

Diagram 1: Mark the embroidery design on the wrong side of the A rectangle, using transparency or special tracing paper for fabric, in the direction indicated on the template; that is, it is reversed in relation to the final example.

Carefully read the instructions for your punch needle supplies, select the position according to the material chosen, here position 1, and prepare to thread the needle:

Slip the needle threader into the needle until its pointed tip comes out the other end of the handle.

Cut embroidery floss of sufficient length. Thread the strands of floss in the needle threader.

Pass the needle threader with the floss through the handle and pass the needle threader through the needle eye again. Leave the floss in the needle eye, gently removing the needle threader.

Diagram 2: Tightly stretch the A rectangle in the embroidery hoop, the wrong side (that is, the design), toward you.

The embroidery is worked on the wrong side of the fabric, with the loops forming on the right side.

En vous inspirant du modèle, remplissez les zones en rangs serrés en piquant à la perpendiculaire à travers la toile jusqu'à la garde de l'aiguille. Le chas de l'aiguille (par où sort le fil) doit toujours se trouver orienté vers la gauche ou vers le bas mais pas vers le haut ni la droite. Travaillez de préférence de la droite vers la gauche ou de haut en bas, en lignes ou cercles selon la zone à remplir afin de donner du mouvement.
Piquez méthodiquement pour obtenir une bouclette régulière. Changez de coton à broder en fonction de la couleur désirée.
Lorsque la broderie est terminée, démontez l'ouvrage du tambour et remettez l'endroit vers vous.

Schéma 3 : Sur l'envers du rectangle B, tracez en le centrant, un rectangle de 10.7 x 13.7 cm (4 ¼" x 5 ¼"). A l'aide du cutter, coupez sur les 2 diagonales de ce rectangle tracé. Rabattez le tissu sur l'envers (vers vous) afin d'obtenir une fenêtre. Gardez un rentré de 1.5 cm (½"), coupez le surplus de tissu. Bâtissez cet ourlet. Retournez le rectangle B sur l'endroit.

Referring to the example, fill the areas in tight rows, stitching perpendicularly through the linen up to the needle handle. The needle eye (from where the floss extends) must always be oriented toward the left or toward the bottom but not toward the top or the right. Preferably work from right to left or from top to bottom, in lines or circles according to the area to be covered so as to give movement. Stitch methodically to obtain uniform loops. Change floss according to the colour desired. When embroidery is finished, remove the project from the hoop and turn the right side to face you.

Diagram 3: On the wrong side of the B rectangle, mark, centring it, a 10.7 x 13.7 cm (4 ¼" x 5 ¼") rectangle. Using a cutter, cut on the two diagonals of this marked rectangle. Turn the fabric to the wrong side (toward you) to obtain a window. Leave a turn-under allowance of 1.5 cm (½") and trim away the excess fabric. Baste this hem. Turn the B rectangle to the right side.

A

30 cm 12"

25 cm 10"

13 cm 5"

10 cm 4"

Envers
Wrong side

Schéma 1
Diagram 1

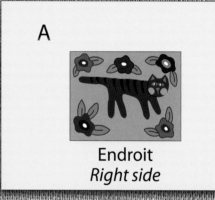

A

Endroit
Right side

Schéma 2
Diagram 2

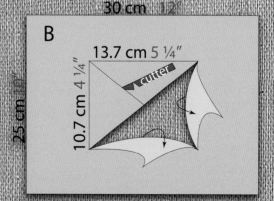

B

30 cm 12"

25 cm 10"

13.7 cm 5 ¼"

10.7 cm 4 ¼"

cutter

Schéma 3
Diagram 3

Schéma 4 : Positionnez le rectangle B sur le rectangle A brodé. La fenêtre doit laisser apparaître la broderie et une marge de 7 mm (¼'') tout autour. Festonnez la fenêtre du rectangle B avec un fil à broder de la même couleur en prenant toutes les épaisseurs.

Diagram 4: Position the B rectangle on the embroidered A rectangle. The window must allow the embroidery to be visible and leave a seam allowance of 7 mm (¼'') all around. Blanket stitch the B rectangle window with embroidery floss in the same colour, passing through all layers.

Schéma 5 : En vous référant au schéma, positionnez les fleurs en lainage de chaque côté de la broderie. Appliquez-les à «bords francs» dans l'ordre numérique des gabarits. Otez la pellicule de papier du voile thermocollant doublant chaque élément. Fixez vos pièces au fer à repasser (chaud et vapeur). Réalisez un point de feston autour de chaque pièce avec un fil à broder de la même couleur que le lainage. Brodez le centre de chaque fleur au point lancé en étoile avec un fil gris et la nervure centrale de chaque feuille au point de tige avec un fil vert.

Diagram 5: Referring to the diagram, position the wool flowers on each side of the embroidery. Appliqué them using the raw edge technique in the numerical order of the templates. Remove the paper film from the fusible web lining each element. Adhere your pieces with a hot iron, using steam. Blanket stitch around each piece with floss in the same colour as the wool. Embroider the centre of each flower in straight stitch in a star formation with grey floss and the centre vein of each leaf in stem stitch with green floss.

Schéma 6 : Tendez votre ouvrage sur la plaque de carton rigide. Installez le tout dans le cadre.

Diagram 6: Stretch your project over the rigid cardboard. Insert the entire project into the frame.

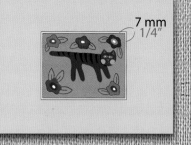

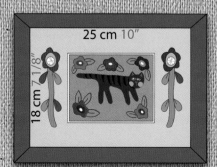

Motif à broder / Embroidery design

10 cm 4"

13 cm 5"

7 mm
1/4"

25 cm 10"

18 cm 7 1/8"

Gabarits à 100%.
Full size
templates

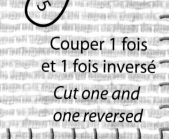

Couper 1 fois
et 1 fois inversé

*Cut one and
one reversed*

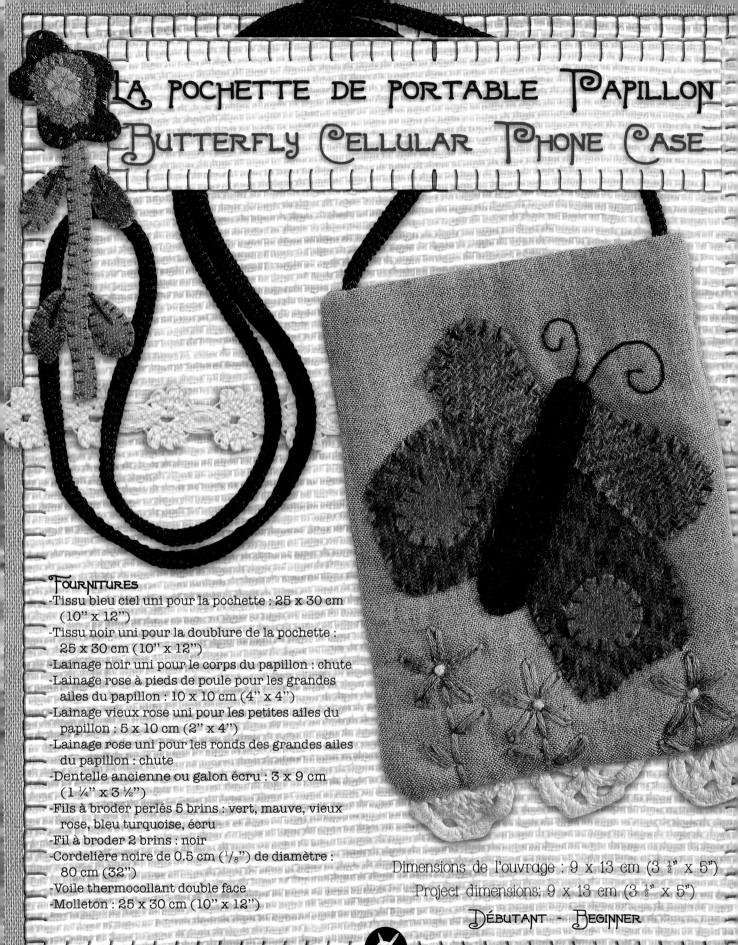

La pochette de portable Papillon
Butterfly Cellular Phone Case

Fournitures

- Tissu bleu ciel uni pour la pochette : 25 x 30 cm (10" x 12")
- Tissu noir uni pour la doublure de la pochette : 25 x 30 cm (10" x 12")
- Lainage noir uni pour le corps du papillon : chute
- Lainage rose à pieds de poule pour les grandes ailes du papillon : 10 x 10 cm (4" x 4")
- Lainage vieux rose uni pour les petites ailes du papillon : 5 x 10 cm (2" x 4")
- Lainage rose uni pour les ronds des grandes ailes du papillon : chute
- Dentelle ancienne ou galon écru : 3 x 9 cm (1 ¼" x 3 ½")
- Fils à broder perlés 5 brins : vert, mauve, vieux rose, bleu turquoise, écru
- Fil à broder 2 brins : noir
- Cordelière noire de 0.5 cm (¹/₈") de diamètre : 80 cm (32")
- Voile thermocollant double face
- Molleton : 25 x 30 cm (10" x 12")

Dimensions de l'ouvrage : 9 x 13 cm (3 ½" x 5")

Project dimensions: 9 x 13 cm (3 ½" x 5")

Débutant - Beginner

Coupe :

Les mesures données pour la coupe des rectangles A, C et du molleton incluent une marge de couture de 7 mm (¼") arrondies à 15 mm (½") pour les deux. Au besoin faites les ajustements nécessaires.

Les appliqués sont réalisés à «bords francs» festonnés. N'ajoutez pas de marge de couture à leurs gabarits. Chacun de ces éléments est reporté sur le voile thermocollant double face, côté lisse (vérifiez le sens du dessin). Découpez grossièrement autour de chaque motif tracé. A l'aide du fer à repasser (chaud et vapeur), collez chaque partie de dessin sur les tissus adéquats. Découpez ensuite sur le trait.

- Dans le tissu bleu ciel uni :
  - 2 rectangles A de 10.5 x 14,5 cm (4" x 5 ½")
- Dans le tissu noir uni :
  - 2 rectangles C de 10.5 x 13 cm (4" x 5")
- Dans le lainage noir uni :
  - Le corps du papillon
- Dans le lainage rose à pieds de poule :
  - 2 grandes ailes du papillon
- Dans le lainage vieux rose uni :
  - 2 petites ailes du papillon
- Dans le lainage rose uni :
  - 2 ronds pour les grandes ailes du papillon
- Dans le molleton :
  - 2 rectangles C de 10.5 x 13 cm (4" x 5")

Materials:

Sky blue solid fabric for the case: 25 x 30 cm (10" x 12")

Black solid fabric for the pocket lining: 25 x 30 cm (10" x 12")

Black solid felted wool for the butterfly body: scrap

Pink felted wool in houndstooth motif for the large butterfly wings: 10 x 10 cm (4" x 4")

Old rose solid felted wool for the small butterfly wings: 5 x 10 cm (2" x 4")

Pink solid felted wool for the circles on the large butterfly wings: scrap

Vintage lace or braid in ecru: 3 x 9 cm (1 ¼" x 3 ½")

Pearl cotton embroidery floss (5 strands): green, mauve, old rose, turquoise blue and ecru

Embroidery floss (2 strands): black

Black cord 0.5 cm (⅛") in diameter: 80 cm (32")

Double-sided fusible web

Batting: 25 x 30 cm (10" x 12")

Materials:

The measurements given for cutting the A and C rectangles and the batting include a seam allowance of 7 mm (¼"), rounded to 15 mm (½") for two seams. Make any necessary changes. The raw edge appliqué technique is used. Do not add seam allowance to their templates. Each design element is transferred to the smooth side of the double-sided fusible web (check that it is the correct way). Loosely cut around each marked piece. With a hot iron and using steam, adhere each piece to fabric of sufficient size. Then cut on the marking.

- From the sky blue solid fabric, cut two 10.5 x 14.5 cm (4" x 5 ½") A rectangles.
- From the black solid fabric, cut two 10.5 x 13 cm (4" x 5") C rectangles.
- From the black solid felted wool, cut the butterfly body.
- From the pink felted wool in houndstooth motif, cut two large butterfly wings.
- From the old rose solid felted wool, cut two small butterfly wings.
- From the pink solid felted wool, cut two circles for the large butterfly wings.
- From the batting, cut two 10.5 x 13 cm (4" x 5") C rectangles.

Réalisation :

Schéma 1 : Sur un rectangle A, appliquez le papillon à «bords francs» en suivant l'ordre numérique des gabarits. Otez la pellicule de papier du voile thermocollant doublant chaque élément. Fixez vos pièces au fer à repasser (chaud et vapeur). Réalisez un point de feston autour de chacune avec un fil à broder noir (2 brins). Brodez les antennes du papillon au point arrière avec un fil à broder noir (2 brins). Brodez les tiges des fleurs au point arrière avec un fil à broder perlé vert (5 brins), les feuilles au point de bouclette avec un fil à broder perlé vert (5 brins), les pétales d'une fleur au point de bouclette avec un fil perlé mauve (5 brins), une autre fleur avec un fil perlé vieux rose (5 brins), et la dernière fleur avec un fil perlé bleu turquoise (5 brins). Brodez le cœur des fleurs au point de nœud avec un fil à broder écru (5 brins). Les broderies apparaissent en gras sur les gabarits.

Schéma 2 : Superposez 1 rectangle noir C et le rectangle bleu ciel A (appliqués) envers contre envers et bord à bord en insérant un molleton C entre les deux. Ajoutez le galon ou la dentelle ancienne B en bas de l'ouvrage, bord à bord. Le rectangle A étant plus long, positionnez la marge supplémentaire en haut. Bâtissez les épaisseurs entre elles.

Schéma 3 : Faites une deuxième fois l'opération pour le dos de la pochette avec le rectangle noir C, le molleton C et le rectangle bleu ciel A restant.

Schéma 4 : Superposez le dos et le devant de la pochette, endroit contre endroit (le tissu noir à l'extérieur) et cousez les épaisseurs à 7 mm (¼") du bord en laissant le haut ouvert. Surjetez les coutures.

Schéma 5 : Retournez deux fois le bord libre du tissu bleu ciel sur le tissu noir et cousez l'ourlet à points cachés. Retournez le travail sur l'endroit. Cousez la cordelière sur 2 cm (¾") à l'intérieur de la pochette, sur la couture des côtés.

9 cm 3½"

13 cm 5"

A

Point de bouclette
Lazy daisy stitch

11.5 cm 4½"

A

B

9 cm 3½"

A

C

SCHÉMA 1
DIAGRAM 1

SCHÉMA 2
DIAGRAM 2

SCHÉMA 3
DIAGRAM 3

SCHÉMA 4
DIAGRAM 4

Making the case:

Diagram 1: On one A rectangle, appliqué the butterfly using the raw edge technique, following the numerical order of the templates. Remove the paper film from the fusible web lining each piece. Adhere your pieces with a hot iron, using steam. Sew around each piece in blanket stitch using two strands of black embroidery floss. Embroider the butterfly antennae in backstitch using two strands of black floss. Embroider the flower stems in backstitch with five strands of green pearl cotton, the leaves in lazy daisy stitch with five strands of green pearl cotton, the petals of one flower in lazy daisy stitch with five strands of mauve pearl cotton, another flower with five strands of old rose pearl cotton, and the last flower with five strands of turquoise blue pearl cotton. Embroider the flower centres in French knot stitch with five strands of ecru floss.

Embroidery is shown in bold on the templates.

Diagram 2: Layer one black C rectangle and the appliquéd sky blue A rectangle with wrong sides together and edge to edge, inserting a C batting piece between the two. Add the B braid or vintage lace at the project bottom, edge to edge. As the A rectangle is longer, position the extra seam allowance above. Baste the layers together.

Diagram 3: Repeat these steps a second time for the pocket back with the black C rectangle, the C batting and the remaining sky blue A rectangle.

Diagram 4: Layer the back and the front of the pocket, right sides together (the black fabric on the outside) and join the layers at 7 mm (¼") from the edge, leaving the top open. Overcast the seams.

Diagram 5: Turn the unstitched edge of the sky blue fabric two times on the black fabric and sew the hem with concealed stitches. Turn the project to the right side.

Stitch the cord at 2 cm (¾") on the pocket interior, on the side seams.

Schéma 5
Diagram 5

GABARITS À 100%.
FULL SIZE TEMPLATES

Dimensions de l'ouvrage : 17 x 20 cm (6 ³/₄" x 8")
(dimensions du cadre non comprises)

Project dimensions: 17 x 20 cm (6 ³/₄" x 8")
(frame dimensions not included)

Arrosoir Fleuri
Watering Can with Flowers

Débutant - Beginner

FOURNITURES :

Une toile écrue est utilisée pour le fond. Il faut que ce tissu de base ait une trame serrée pour que les points tiennent bien. En général, on déconseille le tissu 100% coton pour préférer du tissu 60% polyester, 40% coton. Ce tissu s'appelle Weaver's Cloth : 25 x 25 cm (10" x 10")

- Cotons à broder, 3 choix possibles : *W = Week's Dye Works* hand-dyed floss; *GA* = The Gentle Art hand-dyed-floss ou *DMC* (*n'utilisez que 3 brins à la fois*) :
  - Tiges et feuilles : *W* : Green apple; *GA* : Chamomile; *DMC* : 523
  - Centres des fleurs: *W* : Whitewash; *GA* : Oatmeal; *DMC* : écru
  - Centres intermediaires des fleurs : Choisissez un ton plus foncé que la couleur des fleurs
  - Fleur 1 : *W* : Straw; *GA* : Summer meadow; *DMC* : 945
  - Fleur 2 : *W* : Grape ice; *GA* : Blueberry; *DMC* : 3042
  - Fleur 3 : *W* : Seafoam; *GA* : Blue paint; *DMC* : 598
  - Fleur 4 : *W* : Sand; *GA* : Adobe; *DMC* : 758
  - Ouverture de l'arrosoir et trou de l'embout : *W* : Mascara; *GA* : Black crow; *DMC* : 310
  - Lignes sur l'arrosoir et l'embout : *W* : Pelican gray; *GA* : Soot; *DMC* : 414
  - Cœur sur l'arrosoir : *W* : Taupe; *GA* : Parchment; *DMC* : 3024
  - Arrosoir et embout : *W* : London fog; *GA* : Aged pewter; *DMC* : 318
  - Poignée et bec de l'arrosoir : *W* : Tin roof; *GA* : Brethern blue; *DMC* : 415
  - Sol : *W* : Eggplant; *GA* : Royal purple; *DMC* : 154
  - Fond : *W* : Gunmetal; *GA* : Soot; *DMC* : 3799
- Coton à broder noir et bleu/gris
- Aiguille spéciale « Punch Needle » et sa notice explicative avec l'enfile-aiguille spécial
- Lainage noir pour les languettes B : 10 x 30 cm (4" x 12")
- Assortiment de lainages bleu/gris pour les languettes C : 10 x 10 cm (4" x 4") au total
- Facultatif : carbone spécial tissu
- 1 tambour à broder de 20 à 22 cm (8" à 9") de diamètre
- 1 cadre aux dimensions intérieures de 17 x 20 cm (6 ¾" x 8")
- 1 plaque de carton rigide aux dimensions de la fenêtre interne du cadre prévu
- 1 cutter
- Voile thermocollant double face

MATERIALS :

Ecru linen is used for the background. This fabric needs to be tightly woven so that the stitches will hold. In general, 100% cotton fabric should not be used; fabric that is 60% polyester and 40% cotton is preferable. This fabric is called Weaver's Cloth: 25 x 25 cm (10" x 10")

- Embroidery floss, three possible choices: **W**: Week's Dye Works hand-dyed floss; **GA**: the Gentle Art hand-dyed floss; **DMC** (Use only three strands at a time):
  - Stems and leaves: **W**: Green Apple; **GA**: Chamomile; **DMC**: 523
  - Flower centres: **W**: Whitewash; **GA**: Oatmeal; **DMC**: ecru
  - Inner centres of the flowers: Choose a colour that is darker than the flower colour.
  - Flower 1: **W**: Straw; **GA**: Summer Meadow; **DMC**: 945
  - Flower 2: **W**: Grape Ice; **GA**: Blueberry; **DMC**: 3042
  - Flower 3: **W**: Seafoam; **GA**: Blue Paint; **DMC**: 598
  - Flower 4: **W**: Sand; **GA**: Adobe; **DMC**: 758
  - The watering can opening and holes in the watering can rose: **W**: Mascara; **GA**: Black Crow; **DMC**: 310
  - Lines on the watering can and the rose: **W**: Pelican Gray; **GA**: Soot; **DMC**: 414
  - Heart on the watering can: **W**: Taupe; **GA**: Parchment; **DMC**: 3024
  - Watering can and rose: **W**: London Fog; **GA**: Aged Pewter; **DMC**: 318
  - Watering can handle and spout: **W**: Tin Roof; **GA**: Brethren Blue; **DMC**: 415
  - Ground: **W**: Eggplant; **GA**: Royal Purple; **DMC**: 154
  - Background: **W**: Gunmetal; **GA**: Soot; **DMC**: 3799
- Embroidery floss in black and blue-grey
- Special needle for punch needle and its instructions with the special needle threader
- Black wool for the B tabs: 10 x 30 cm (4" x 12")
- Assortment of blue-grey wools for the C tabs: 10 x 10 cm (4" x 4") in total
- Optional: special tracing paper for fabric
- One embroidery hoop of 20 to 22 cm (8" or 9") in diameter
- One frame with inside dimensions of 17 x 20 cm (6 ¾" x 8")
- One piece of rigid cardboard in the dimensions of the inside window of the frame selected
- One cutter
- Double-sided fusible web

Coupe :

Les languettes B et C sont appliquées à «bords francs» festonnés. N'ajoutez pas de marge de couture à leur gabarit. Chacun de ces éléments est reporté sur le voile thermocollant double face, côté lisse (vérifiez le sens du dessin). Découpez grossièrement autour de chaque motif tracé. A l'aide du fer à repasser (chaud et vapeur) collez chaque partie de dessin sur les tissus adéquats. Découpez ensuite sur le trait.

- Dans la toile de fond :
-1 carré A de 25 x 25 cm (10" x 10")
- Dans le lainage noir :
-16 languettes B
- Dans l'assortiment des lainages bleu/gris :
-16 languettes C

Réalisation :

Schéma 1 : Reportez le motif à broder sur l'envers du carré A par transparence ou à l'aide d'un carbone spécial tissu dans le sens présenté sur le gabarit c'est-à-dire inversé par rapport au modèle final.
Lisez attentivement la notice de votre matériel à «Punch Needle», sélectionnez la position selon le

matériel choisi, ici position 1 et préparez l'enfilage de l'aiguille :
Glissez l'enfile-aiguille dans l'aiguille jusqu'à ce que son bout pointu ressorte à l'autre bout du manche.
Coupez une longueur de fil à broder (correspondant à une bonne coudée). Enfilez les brins de coton à broder choisi dans l'enfile-aiguille.
Faites passer l'enfile-aiguille avec le fil à broder à travers le manche et repassez l'enfile-aiguille dans le chas de l'aiguille. Conservez le fil dans le chas de l'aiguille en retirant doucement l'enfile-aiguille.

Schéma 2 : Tendez bien la toile du carré A sur le tambour à broder, l'envers, (donc le motif), vers vous.
La broderie se travaille sur l'envers du tissu, les boucles se formant sur l'endroit.
En vous inspirant du modèle, remplissez les zones en rangs serrés en piquant à la perpendiculaire à travers la toile jusqu'à la garde de l'aiguille. Le chas de l'aiguille (par où sort le fil) doit toujours se trouver orienté vers la gauche ou vers le bas mais pas vers le haut ni la droite. Travaillez de préférence de la droite vers la gauche ou de haut

Cutting:

The B and C tabs are appliquéd using the raw edge technique. Do not add seam allowance to their templates. Each design element is transferred to the smooth side of the double-sided fusible web (check that it is the correct way). Loosely cut around each marked piece. With a hot iron and using steam, adhere each piece to fabric of sufficient size. Then cut on the marking.

- From the linen fabric for the background, cut one 25 x 25 cm (10" x 10") A square.
From the black wool, cut sixteen B tabs.
From the assortment of blue-grey wools, cut sixteen C tabs.

Making the project

Diagram 1: Mark the embroidery design on the wrong side of the A square, using transparency or special tracing paper for fabric, in the direction indicated on the template; that is, it is reversed in relation to the final example.
Carefully read the instructions for your punch needle supplies, select the position according to the material chosen, here position 1, and prepare

to thread the needle:
Slip the needle threader into the needle until its pointed tip comes out the other end of the handle.
Cut embroidery floss of sufficient length. Thread the strands of floss in the needle threader.
Pass the needle threader with the floss through the handle and pass the needle threader through the needle eye again. Leave the floss in the needle eye, gently removing the needle threader.

Diagram 2: Tightly stretch the A square in the embroidery hoop, the wrong side (that is, the design), toward you.
The embroidery is worked on the wrong side of the fabric, with the loops forming on the right side.
Referring to the example, fill the areas in tight rows, stitching perpendicularly through the linen up to the needle handle. The needle eye (from where the floss extends) must always be oriented toward the left or toward the bottom but not toward the top or the right. Preferably

en bas, en lignes ou cercles selon la zone à remplir afin de donner du mouvement. Piquez méthodiquement pour obtenir une bouclette régulière. Changez de coton à broder en fonction de la couleur désirée. Lorsque la broderie est terminée, démontez l'ouvrage du tambour et remettez l'endroit vers vous.

Schéma 3 : Sur l'endroit d'une languette B, appliquez à «bords francs» une languette C : Otez la pellicule de papier du voile thermocollant doublant la languette C et fixez-la au fer à repasser (chaud et vapeur) sur la languette B. Réalisez un point de feston autour avec un fil à broder bleu/gris. Réalisez ainsi les 16 languettes bicolores.

Schéma 4 : Thermo-collez 4 languettes bicolores sur chaque côté de la broderie. Le bord droit des languettes doit être le plus proche possible de la broderie. Festonnez chacune d'elles avec un fil noir.

work from right to left or from top to bottom, in lines or circles according to the area to be covered so as to give movement. Stitch methodically to obtain uniform loops. Change floss according to the colour desired. When embroidery is finished, remove the project from the hoop and turn the right side to face you.

Diagram 3: On the right side of one B tab, appliqué one C tab using the raw edge technique. Remove the paper film from the fusible web lining the C tab and adhere it with a hot iron, using steam, to the B tab. Blanket stitch all around with blue-grey floss. In this manner make the sixteen bicolour tabs.

Diagram 4: Heat fuse four bicolour tabs to each side of the embroidery. The straight edge of the tabs must be as close as possible to the embroidery. Blanket stitch each tab with black floss.

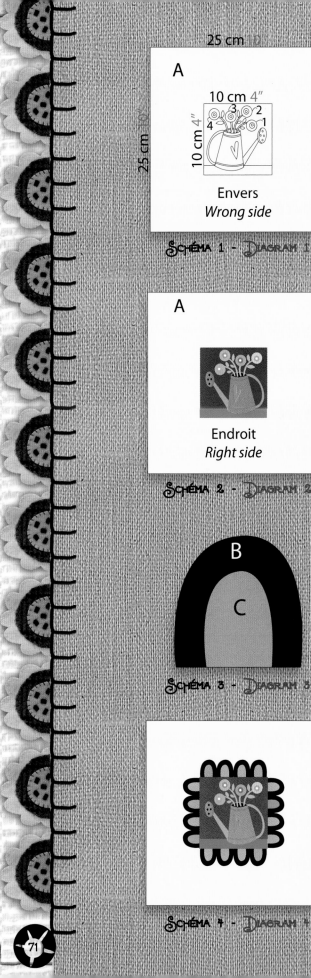

A

25 cm 10"

10 cm 4"

10 cm 4"

3 2
4 1

Envers
Wrong side

SCHÉMA 1 - DIAGRAM 1

A

Endroit
Right side

SCHÉMA 2 - DIAGRAM 2

B

C

SCHÉMA 3 - DIAGRAM 3

SCHÉMA 4 - DIAGRAM 4

Finitions :
Tendez votre ouvrage sur la plaque de carton rigide.
Installez le tout dans le cadre.

Finishing:
Stretch your project over the rigid cardboard.
Insert the entire project into the frame.

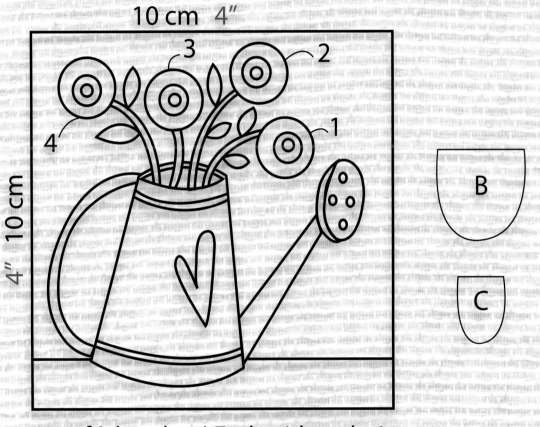

10 cm 4"

4" 10 cm

3

2

4

1

B

C

Motif à broder / *Embroidery design*

La Pochette de Portable Oiseau

Fournitures :
- Tissu ocre jaune à pois pour la pochette A : 25 x 30 cm (10" x 12")
- Tissu noir uni pour l'intérieur de la pochette C : 25 x 30 cm (10" x 12")
- Lainage marron foncé uni pour le corps de l'oiseau et le centre de la fleur : 5 x 10 cm (2" x 4")
- Lainage vert pour les feuilles : chute
- Lainage écru uni pour les pétales de la fleur : 10 x 10 cm (4" x 4")
- Lainage marron imprimé pour le grand demi rond de la fleur : 6 x 8 cm (2 ½" x 3")

Bird Cellular Phone Case

Project dimensions: 9 x 13 cm
(3 ½" x 5")

Beginner

Materials:
Ochre yellow polka dot fabric for the A case piece: 25 x 30 cm (10" x 12")
Black solid fabric for the C case piece interior: 25 x 30 cm (10" x 12")

Dark chestnut brown solid felted wool for the bird body and the flower centre: 5 x 10 cm (2" x 4")
Green felted wool for the leaves: scrap
Ecru solid felted wool for the flower petals: 10 x 10 cm (4" x 4")

-Lainage ocre jaune uni pour le petit demi rond de la fleur : 4 x 9 cm (1 ½" x 3 ½")
-Fils à broder perlés 5 brins : vert, marron, écru
-Fil à broder 2 brins : noir
-Cordelière noire de 0.5 cm (¹/₈") de diamètre : 80 cm (32")
-Voile thermocollant double face
-Molleton : 25 x 30 cm (10" x 12")

Coupe :

Les mesures données pour la coupe des pièces A, C et du molleton incluent une marge de couture de 7 mm (¹/₄") arrondies à 15 mm (¹/₈") pour les deux. Au besoin faites les ajustements nécessaires. Les appliqués sont réalisés à «bords francs» festonnés. N'ajoutez pas de marge de couture à leurs gabarits. Chacun de ces éléments est reporté sur le voile thermocollant double face, côté lisse (vérifiez le sens du dessin). Découpez grossièrement autour de chaque motif tracé. A l'aide du fer à repasser (chaud et vapeur), collez chaque partie de dessin sur les tissus adéquats. Découpez ensuite sur le trait.

• Dans le tissu ocre jaune à pois :
  - 2 rectangles A de 10.5 x 14.5 cm (4" x 5 ½")
• Dans le tissu noir uni :
  - 2 rectangles C de 10.5 x 13 cm (4" x 5 ")
• Dans le lainage marron foncé uni :
  - Le corps de l'oiseau
• Dans le lainage vert :
  - 2 feuilles
• Dans le lainage écru uni :
  - Les pétales de la fleur
• Dans le lainage marron imprimé:
  - Le grand demi rond de la fleur
• Dans le lainage ocre jaune uni :
  - Le petit demi rond de la fleur
• Dans le molleton :
  - 2 rectangles C de 10.5 x 13 cm (4" x 5").

Chestnut brown print felted wool for the large half circle for the flower: 6 x 8 cm (2 ½" x 3")
Ochre yellow solid felted wool for the small half circle for the flower: 4 x 9 cm (1 ½" x 3 ½")
Pearl cotton embroidery floss (5 strands): green, chestnut brown and ecru
Embroidery floss (2 strands): black
Black cord 0.5 cm (¹/₈") in diameter: 80 cm (32")
Double-sided fusible web
Batting: 25 x 30 cm (10" x 12")

Cutting:

The measurements given for cutting the A and C pieces and the batting include a seam allowance of 7 mm (¹/₄"), rounded to 15 mm (½") for two seams. Make any necessary changes. The raw edge technique is used for the appliqués. Do not add seam allowance to their templates. Each design element is transferred to the smooth side of the double-sided fusible web (check that it is the correct way). Loosely cut around each marked piece. With a hot iron and using steam, adhere each piece to fabric of sufficient size. Then cut on the marking.

• From the ochre yellow polka dot fabric, cut two 10.5 x 14.5 cm (4" x 5 ½") A rectangles.
• From the black solid fabric, cut two 10.5 x 13 cm (4" x 5") C rectangles.
• From the dark chestnut brown solid felted wool, cut the bird body.
• From the green felted wool, cut two leaves.
• From the ecru solid felted wool, cut the flower petals.
• From the chestnut brown print felted wool, cut the large half circle for the flower.
• From the ochre yellow solid felted wool, cut the small half circle for the flower.
• From the batting, cut two 10.5 x 13 cm (4" x 5") C rectangles.

9 cm 3 ½"

Schéma 1 - Diagram 1

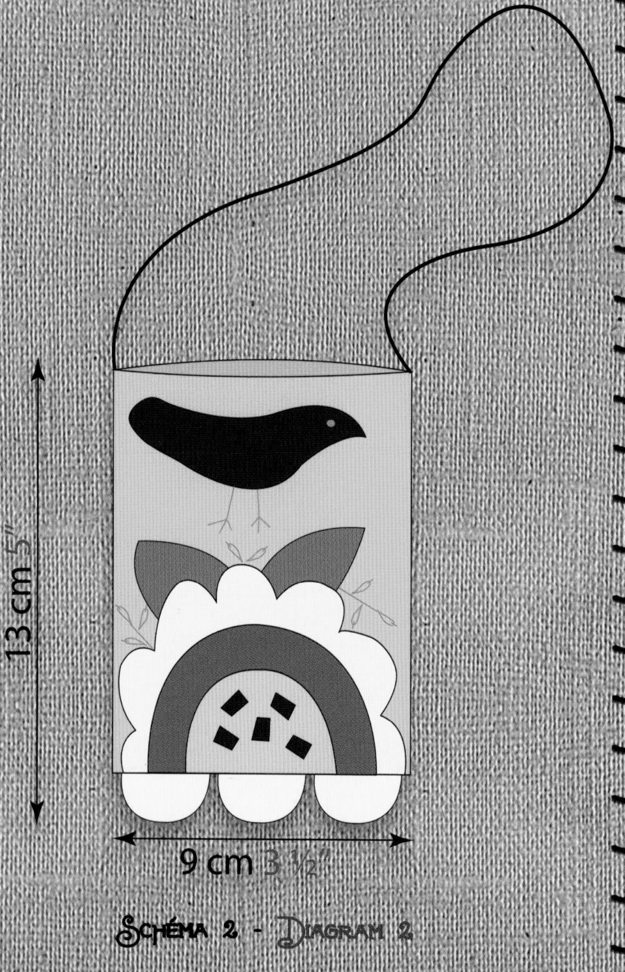

Réalisation :

Schémas 1 et 2 : Sur un rectangle A, appliquez l'oiseau et la fleur à «bords francs» en suivant l'ordre numérique des gabarits. Otez la pellicule de papier du voile thermocollant doublant chaque élément. Fixez vos pièces au fer à repasser (chaud et vapeur). Réalisez un point de feston autour de chacune avec un fil à broder (2 brins) de la même couleur que les lainages (sauf le lainage ocre jaune uni qui est festonné en noir). Brodez les pattes de l'oiseau au point arrière avec un fil à broder perlé marron (5 brins). Brodez l'œil de l'oiseau au point de nœud avec un fil à broder perlé marron (5 brins). Brodez les feuilles au point de bouclette avec un fil à broder perlé vert (5 brins).

13 cm 5"

9 cm 3 ½"

Schéma 2 - Diagram 2

Making the case.

Diagrams 1 and 2: On one A rectangle, appliqué the bird and the flower using the raw edge technique, following the numerical order of the templates. Remove the paper film from the fusible web lining each piece. Adhere your pieces with a hot iron, using steam. Sew around each piece in blanket stitch, using two strands of embroidery floss in the same colour as the felted wool (except for the ochre yellow solid felted wool, stitched in black). Embroider the bird feet in backstitch with five strands of chestnut brown pearl cotton. Embroider the bird's eye in French knot stitch with five strands of chestnut brown pearl cotton. Embroider the leaves in lazy daisy stitch with five strands of green pearl cotton.

1

2   3

4   5

7   8

9   10   11

6

B

Poursuivez ensuite le montage de la pochette en suivant les schémas de la pochette portable «Papillon» (*voir page 64*).

Continue assembling the case according to the diagrams for the Butterfly Cellular Phone Case (*see page 64*).

La Pochette Cœur

Heart Case

Dimensions de l'ouvrage : 20 x 32 cm (8" x 12 ¾")

Project dimensions: 20 x 32 cm (8" x 12 ¾")

Intermédiaire - Intermediate

Fournitures :

- Velours vert d'eau pour la pochette et la poche arrière :
  30 x 110 cm (12" x 44")
- Toile de lin vert clair pour le rabat : 30 x 40 cm (12" x 16")
- Tissu imprimé bleu ciel pour la doublure : 30 x 50 cm
  (12" x ½ yd)
- Laine feutrée bleu ciel pour le cœur et les fleurs des
  languettes : 20 x 25 cm (8" x 10")
- Lainage vert pour les feuilles et les tiges : 15 x 20 cm
  (6" x 8")
- Lainage noir pour les languettes E : 20 x 20 cm (8" x 8")
- Lainage blanc pour les fleurs : 10 x 10 cm (4" x 4")
- Feutrine moutarde pour le cœur des fleurs : chute
- Feutrine bleu pétrole pour les languettes F : 10 x 15 cm
  (4" x 6")
- Galon fantaisie noir de 0.5cm (⅛") de large pour le
  tour du cœur : 65 cm (25 ½")
- 1 cordelière noire de 0.7 cm (¼") de diamètre : 110 cm (44")
- Fil à broder 5 brins : noir, moutarde et vert
- Voile thermocollant double face

Coupe :

Tous les appliqués y compris le cœur D et les languettes E
et F sont réalisés à «bords francs». N'ajoutez pas de marge
de couture à leur gabarit. Chacun de ces éléments (sauf
les languettes E) est reporté sur le voile thermocollant
double face, côté lisse (vérifiez le sens du dessin).
Découpez grossièrement autour de chaque motif tracé. A
l'aide du fer à repasser, collez chaque partie de dessin sur
les tissus adéquats. Découpez ensuite sur le trait.
Pour les pièces A, B et C, il sera nécessaire d'ajouter aux
gabarits des marges de couture de 7 mm (¼") arrondies
à 15 mm (⅛") pour les deux.

- Dans le velours vert d'eau pour la pochette et la poche
  arrière :
  - 2 pièces A et une pièce C
- Dans la toile de lin vert clair pour le rabat :
  - 2 pièces B (marquez les repères)
- Dans le tissu imprimé bleu ciel pour la doublure :
  - 2 pièces A (marquez les repères)
- Dans la laine feutrée bleu ciel :
  - Le cœur D et les 4 fleurs des languettes
- Dans le lainage vert :
  - Les feuilles et les tiges
- Dans le lainage noir :
  - 8 languettes E (la marge en haut du gabarit sera
    prise dans la couture finale)
- Dans le lainage blanc :
  - Les fleurs
- Dans la feutrine moutarde :
  - Le cœur des fleurs
- Dans la feutrine bleu-pétrole :
  - 4 languettes F (la marge en haut du gabarit sera
    prise dans la couture finale)

Materials:

Sea green velvet for the case and its back pocket: 30 x
  110 cm (12" x 44")
Light green linen for the flap: 30 x 40 cm (12" x 16")
Sky blue print fabric for the lining: 30 x 50 cm (12" x ½ yd)
Sky blue felted wool for the heart and the tab flowers:
  20 x 25 cm (8" x 10")
Green felted wool for the leaves and stems: 15 x 20 cm
  (6" x 8")
Black felted wool for the E tabs: 20 x 20 cm (8" x 8")
White felted wool for the flowers: 10 x 10 cm (4" x 4")
Mustard felted wool for the flower centres: scrap
Air force blue felted wool for the F tabs: 10 x 15 cm
  (4" x 6")
Black decorative braid 0.5 cm (⅛") wide for trimming
  the heart: 65 cm (25 ½")
Black cord 0.7 cm (¼") in diameter: 110 cm (44")
Embroidery floss (5 strands): black, mustard and green
Double-sided fusible web

Cutting:

The raw edge technique is used for all appliqués,
including the D heart and the E and F tabs. Do not
add seam allowance to their templates. Each design
element (except for the E tabs) is transferred to the
smooth side of the double-sided fusible web (check that
it is the correct way). Loosely cut around each marked
piece. With a hot iron and using steam, adhere each
piece to fabric of sufficient size. Then cut around the
marking. For the A, B and C pieces, add a seam
allowance of 7 mm (¼"), rounded to 15 mm (⅛") for
two seams, to the templates.

- From the sea green velvet for the case and the back
  pocket, cut the following:
  - two A pieces
  - one C piece
- From the light green linen for the flap, cut two B
  pieces (place reference marks).
- From the sky blue print fabric for the lining, cut two
  A pieces (place reference marks).
- From the sky blue felted wool, cut the following:
  - the D heart
  - the four flowers for the tabs
- From the green felted wool, cut the following:
  - the leaves
  - the stems
- From the black felted wool, cut the eight E tabs (the
  seam allowance at the top of the template will be
  enclosed in the final seam).
- From the white felted wool, cut the flowers.
- From the mustard felted wool, cut the flower centres.
- From the air force blue felted wool, cut four F tabs
  (the seam allowance on the top of the template will
  be enclosed in the final seam).

Réalisation du rabat :

Schéma 1 : Sur le cœur D, appliquez le bouquet de fleurs à «bords francs en suivant l'ordre numérique des gabarits. Otez la pellicule de papier du voile thermocollant doublant chaque élément. Fixez vos pièces au fer à repasser (chaud et vapeur). Réalisez un point de feston autour de chacune avec un fil à broder noir 2 brins.

Schéma 2 : Sur l'endroit d'une pièce B, thermo-collez le cœur à bords francs. Cousez le galon fantaisie noir de 0.5 cm (¹/₈'') de large sur le tour du cœur en piquant à travers toutes les épaisseurs.

Schéma 3 : Sur une languette bleue F, brodez les tiges au point arrière et les feuilles au point de bouclette avec un fil vert 5 brins. La petite fleur est thermocollée, mais non festonnée. Faites un point de nœud colonial en son centre avec un fil à broder moutarde 5 brins.

Les broderies apparaissent en gras sur les gabarits.

Thermo-collez la petite languette bleue sur une grande languette noire E. Festonnez le tour avec un fil à broder noir 2 brins, en laissant libre la partie qui sera prise dans la couture finale. Superposez cette languette ainsi obtenue sur une autre languette noire E envers contre envers. Festonnez le tour avec un fil à broder noir 5 brins. Faites l'opération 4 fois en tout.

Schéma 4 : Superposez les deux pièces B endroit contre endroit et bord à bord en insérant entre les deux, les 4 languettes en bas de l'ouvrage, le bord libre vers le haut (les fleurs appliquées vers cœur). Faites une couture à 7 mm (¼'') du bord en piquant toutes les épaisseurs. Laissez ouvert entre les deux repères. Retournez le travail sur l'endroit et fermez l'ouverture à points cachés.

SCHÉMA 1 - DIAGRAM 1

SCHÉMA 2 - DIAGRAM 2

17 cm 6 5/8"

28 cm 11"

MATERIALS:

Diagram 1: On the D heart, appliqué the flower bouquet using the raw edge technique, following the numerical order of the templates. Remove the paper film from the fusible web lining each piece. Adhere your pieces with a hot iron, using steam. Blanket stitch around each piece with two strands of embroidery floss.

Diagram 2: On the right side of one B piece, use the raw edge technique to appliqué the heart. Stitch the 0.5 cm (¹/₈") black decorative braid around the heart edge, stitching through all layers.

Diagram 3: On one blue F tab, embroider the stems in backstitch and the leaves in lazy daisy stitch with five strands of green floss. The small flower is appliquéd using the raw edge technique, but is not blanket-stitched. Make a colonial knot stitch in its centre with five strands of mustard embroidery floss.

Embroidery is shown in bold on the templates. Using the raw edge method, appliqué the small blue tab on one large black E tab. Blanket stitch around the edge with two strands of black embroidery floss, leaving open the part that will be enclosed in the final seam. Layer this tab obtained on another black E tab, wrong sides together. Blanket stich all around with five strands of black floss. Repeat four times in total.

Diagram 4: Layer the two B pieces right sides together and edge to edge, inserting the four tabs in between the two pieces at the bottom of the project, the open end toward the top (the appliquéd flowers toward the heart). Stitch at 7 mm (¼") from the edge, sewing through all layers. Leave the area between the two reference marks open. Turn the project to the right side and close the opening with concealed stitches.

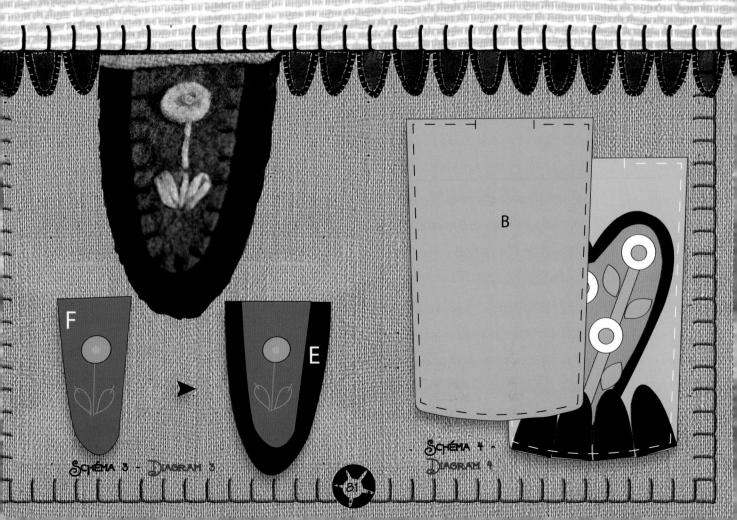

SCHÉMA 3 - DIAGRAM 3

SCHÉMA 4 - DIAGRAM 4

Réalisation du corps du sac :

Schéma 5 : Sur le haut de la poche C, faites un ourlet. Sur l'endroit d'une pièce en velours A, superposez la pièce C (envers sur endroit), les parties arrondies bord à bord. Bâtissez.

Schéma 6 : Sur cet assemblage, posez une pièce A en tissu bleu imprimé, endroit contre endroit et bord à bord. Cousez le haut à 7 mm (¼") du bord.

Schéma 7 : Superposez l'autre pièce A en velours et l'autre pièce A en tissu bleu imprimé endroit contre endroit et bord à bord. Cousez le haut à 7 mm (¼") du bord.

Schéma 8 : Superposez les deux morceaux obtenus l'un sur l'autre, endroit contre endroit et bord à bord, velours sur velours et tissu bleu sur tissu bleu. Positionnez la cordelière entre les deux parties en faisant sortir les extrémités sur 1 cm de chaque côté, à la jonction droite et gauche du velours et du tissu. Cousez les épaisseurs sur tout le tour à 7 mm (¼") du bord en laissant ouvert entre les deux repères. Retournez le travail sur l'endroit et fermez entre les deux repères à points cachés.

Schéma 9 : Rentrez la doublure en tissu dans la pochette en velours.

Schéma 10 : Insérez le bord du rabat en lin dans la pochette sur 2 cm (¾"). Cousez-le sur l'arrière de la pochette (côté poche). Faites une double couture à travers toutes les épaisseurs.

Schéma 11 : Faites un point avant sur le tour du rabat à 0.5 cm (⅛") du bord avec un fil à broder noir 5 brins.

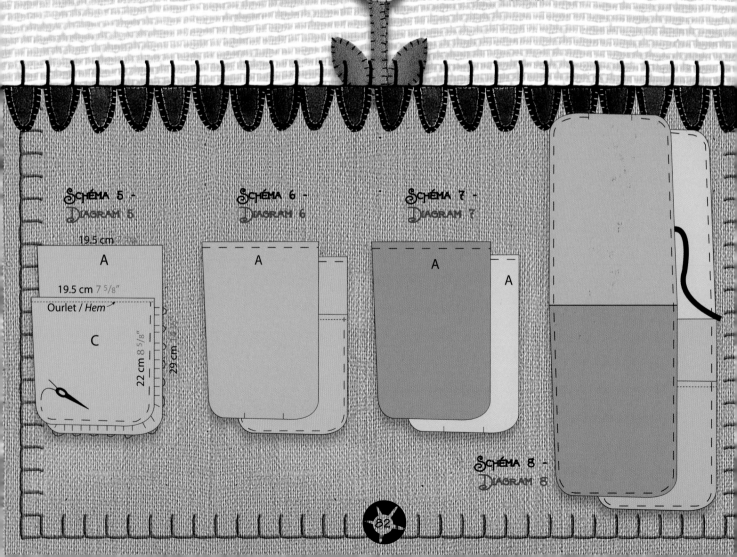

Schéma 5 - Diagram 5
19.5 cm
A
19.5 cm 7 ⅝"
Ourlet / Hem
C
22 cm 8 ⅝"
29 cm

Schéma 6 - Diagram 6
A

Schéma 7 - Diagram 7
A
A

Schéma 8 - Diagram 8

Making the main part of the case:

Diagram 5: Make a hem on the top of the C pocket. On the right side of one A velvet piece, layer the C piece, wrong side on the right side, the rounded parts edge to edge. Baste.

Diagram 6: On this unit, place an A piece of blue print fabric, right sides together and edge to edge. Stitch the top at 7 mm (¼") from the edge.

Diagram 7: Layer the other velvet A piece and the other A piece of blue print fabric, right sides together and edge to edge. Stitch the top at 7 mm (¼") from the edge.

Diagram 8: Layer the two pieces obtained one on the other, right sides together and edge to edge, velvet on velvet and blue fabric on blue fabric. Position the cord in between the two parts,

extending the ends 1 cm on each side, on the right and left sides where the velvet and fabric meet. Stitch the layers all around at 7 mm (¼") from the edge, leaving an opening between the two marks. Turn the project to the right side and close the opening with concealed stitches.

Diagram 9: Place the fabric lining inside the velvet case.

Diagram 10: Insert the edge of the linen flap in the case at 2 cm (¾"). Sew to the case back (pocket side). Stitch a double seam through all layers.

Diagram 11: Sew in running stitch around the flap at 0.5 cm (⅛") from the edge with five strands of black floss.

Schéma 9 - Diagram 9

Schéma 10 - Diagram 10

Schéma 11 - Diagram 11

32 cm 12 3/4"

20 cm 8"

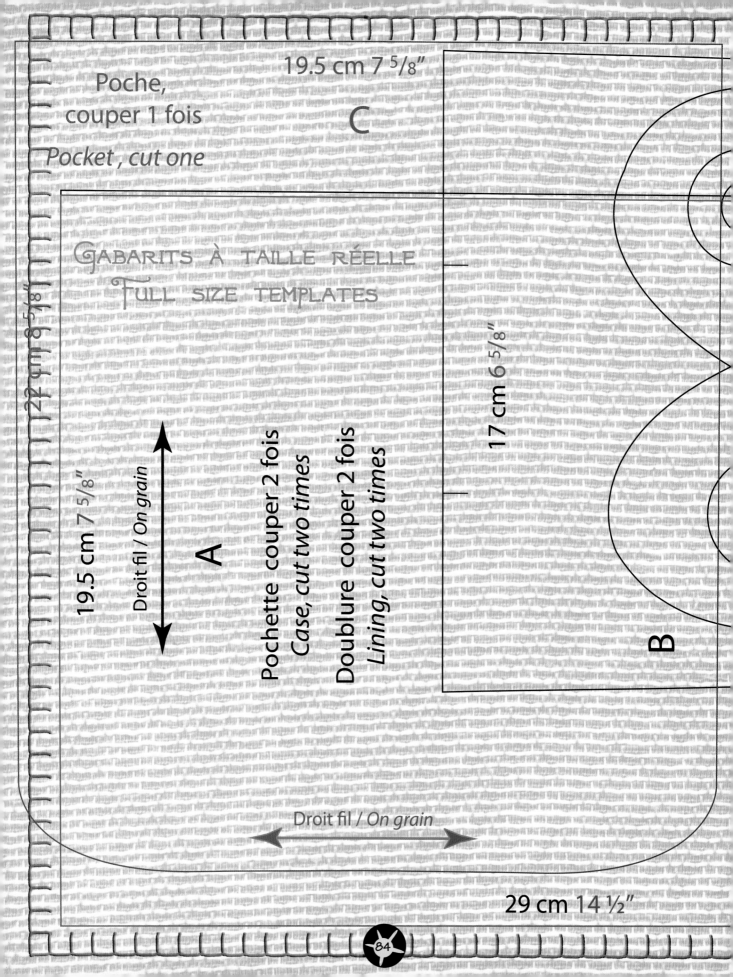

Poche,
couper 1 fois

Pocket, cut one

C

19.5 cm 7 5/8"

Gabarits à taille réelle
Full size templates

22 cm 8 5/8"

19.5 cm 7 5/8"

Droit fil / *On grain*

A

Pochette couper 2 fois
Case, cut two times

Doublure couper 2 fois
Lining, cut two times

17 cm 6 5/8"

B

Droit fil / *On grain*

29 cm 14 ½"

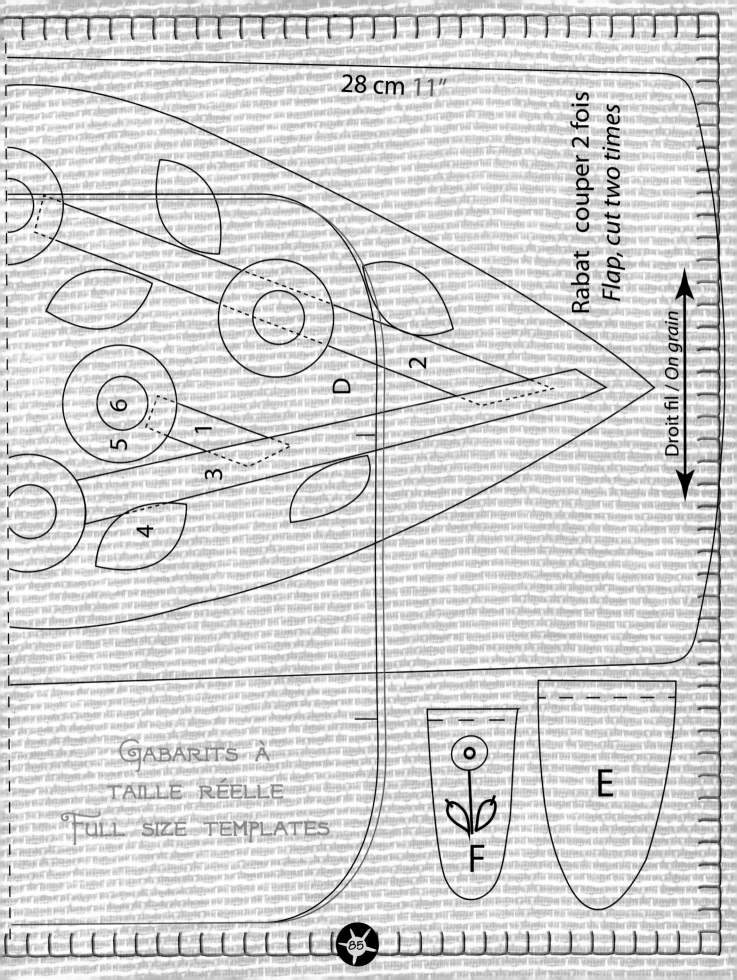

28 cm 11″

Rabat couper 2 fois
Flap, cut two times

Droit fil / *On grain*

D

2

5 6

3 1

4

GABARITS À
TAILLE RÉELLE
FULL SIZE TEMPLATES

F

E

Pot de Fleurs
Flowerpot

Dimensions de l'ouvrage : 20 x 28 cm (8" x 11")
(dimensions du cadre non comprises).
Project dimensions: 20 x 28 cm (8" x 11") (frame dimensions not included)

Débutante - Beginner

Fournitures :

Une toile écrue est utilisée pour le fond. Il faut que ce tissu de base ait une trame serrée pour que les points tiennent bien. En général, on déconseille le tissu 100% coton pour préférer du tissu 60% polyester, 40% coton. Ce tissu s'appelle Weaver's Cloth : 25 x 25 cm (10" x 10")

- Cotons à broder, 3 choix possibles : **W** = *Week's Dye Works hand-dyed floss*; **GA** = *The Gentle Art hand-dyed-floss* ou **DMC** (*n'utilisez que 3 brins à la fois*) :
  - Nervures des feuilles: **W** : Bark; **GA** : Dried thyme; **DMC** : 3051
  - Feuilles et tiges: **W** : Kudzu; **GA** : Chamomile ; **DMC** : 3053
  - Centre de la pâquerette: **W** : Schneckley ; **GA** : Grecian gold ; **DMC** : 680
  - Pâquerette: **W** : Whitewash; **GA** : Oatmeal; **DMC** : 644
  - Centre des roses trémières: **W** : Schneckley; **GA** : Grecian gold; **DMC** : 680
  - Roses trémières: **W** : Honeysuckle; **GA** : Buttermilk; **DMC** : 3046
  - Pois de senteur: **W** : Sweetpea; **GA** : Purple iris; **DMC** : 554

- Fleur grise :
  - **W** : Mascara; **GA** : Black crow; **DMC** : 310
  - **W** : Aged pewter; **GA** : Old blue paint; **DMC** : 3752
  - **W** : Dolphin; **GA** : Blueberry; **DMC** : 931
- Fleur rose :
  - **W** : Crimson; **GA** : Cherry bark; **DMC** : 902
  - **W** : Whitewash; **GA** : Oatmeal; **DMC** : 644
  - **W** : Red pear; **GA** : Old red paint; **DMC** : 3772
  - **W** : Sand; **GA** : Adobe; **DMC** : 224
- Bouton de fleur: **W** : Whitewash; **GA** : Oatmeal; **DMC** : 644
- Dessins du pot: **W** : Pebble; **GA** : Tin bucket; **DMC** : 3024
- Pot: **W** : Pelican gray; **GA** : Banker's gray; **DMC** : 318
- Fond: **W** : Mascara; **GA** : Dk. Chocolate; **DMC** : 310w/3371
- Aiguille spéciale «Punch Needle» et sa notice explicative avec l'enfile aiguille spécial
- Toile de lin crème: 25 x 33 cm (10" x 13")
- Facultatif : carbone spécial tissu
- 1 tambour à broder de 20 à 22 cm (8" à 9") de diamètre

Materials:

Ecru linen is used for the background. This fabric needs to be tightly woven so that the stitches will hold. In general, 100% cotton fabric should not be used; fabric that is 60% polyester and 40% cotton is preferable. This fabric is called Weaver's Cloth: 25 x 25 cm (10" x 10")

- Embroidery floss, three possible choices: **W**: Week's Dye Works hand-dyed floss; **GA**: the Gentle Art hand-dyed floss; **DMC** (Use only three strands at a time):
  - Leaf veins: **W**: Bark; **GA**: Dried Thyme; **DMC**: 3051
  - Leaves and stems: **W**: Kudzu; **GA**: Chamomile; **DMC**: 3053
  - Daisy centre: **W**: Schneckley; **GA**: Grecian Gold; **DMC**: 680
  - Daisy: **W**: Whitewash; **GA**: Oatmeal; **DMC**: 644
  - Hollyhock centres: **W**: Schneckley; **GA**: Grecian Gold; **DMC**: 680
  - Hollyhocks: **W**: Honeysuckle; **GA**: Buttermilk; **DMC**: 3046
  - Sweet Pea: **W**: Sweetpea; **GA**: Purple Iris; **DMC**: 554

- Grey flower:
  - **W**: Mascara; **GA**: Black Crow; **DMC**: 310
  - **W**: Aged Pewter; **GA**: Old Blue Paint; **DMC**: 3752
  - **W**: Dolphin; **GA**: Blueberry; **DMC**: 931
- Pink flower:
  - **W**: Crimson: **GA**: Cherry Bark; **DMC**: 902
  - **W**: Whitewash; **GA**: Oatmeal; **DMC**: 644
  - **W**: Red Pear; **GA**: Old Red Paint; **DMC**: 3772
  - **W**: Sand; **GA**: Adobe; **DMC**: 224
- Flower bud: **W**: Whitewash; **GA**: Oatmeal; **DMC**: 644
- Flowerpot designs: **W**: Pebble; **GA**: Tin Bucket; **DMC**: 3024
- Flowerpot: **W**: Pelican Gray; **GA**: Banker's Gray; **DMC**: 318
- Background: **W**: Mascara; **GA**: Dark Chocolate; **DMC**: 310w/3371
- Special needle for punch needle and its instructions with the special needle threader
- Cream linen fabric: 25 x 33 cm (10" x 13")
- Optional: special tracing paper for fabric
- One embroidery hoop of 20 to 22 cm (8" or 9") in diameter

Fournitures (suite) :

• Les appliqués

Pour les feuilles et les tiges :
- Lainage vert foncé : 10 x 10 cm (4" x 4")
- Lainage vert clair : 10 x 15 cm (4" x 6")

Pour les roses trémières :
- Lainage violet et lainage jaune : chutes
- Lainage mauve : 5 x 10 cm (2" x 4")
- Lainage jaune pâle : 5 x 5 cm (2" x 2")

Pour les autres fleurs :
- Lainages divers : rose pâle, rose foncé, blanc, gris clair et foncé, noir : chutes
- Voile thermocollant double face
- 1 cadre aux dimensions intérieures de 20 x 28 cm (8" x 11")
- 1 plaque de carton rigide aux dimensions de la fenêtre interne du cadre prévu
- 1 cutter

Coupe :

Les appliqués sont réalisés à «bords francs» festonnés. N'ajoutez pas de marge de couture. Chacun de ces éléments est reporté sur le voile thermocollant double face, côté lisse (vérifiez le sens du dessin). Découpez grossièrement autour de chaque motif tracé. A l'aide du fer à repasser (chaud et vapeur) collez chaque partie de dessin sur les tissus adéquats. Découpez ensuite sur le trait.

Materials: (continued)

• Appliqués

For the leaves and stems:
- Dark green wool: 10 x 10 cm (4" x 4")
- Light green wool: 10 x 15 cm (4" x 6")

For the hollyhocks:
- Purple wool and yellow wool: scraps
- Mauve wool: 5 x 10 cm (2" x 4")
- Pale yellow wool: 5 x 5 cm (2" x 2")

For the other flowers:
- Various wools in pale pink, dark pink, white, light and dark grey, and black: scraps
- Double-sided fusible web
- One frame with inside dimensions of 20 x 28 cm (8" x 11")
- One piece of rigid cardboard in the dimensions of the inside window of the frame selected
- One cutter

Cutting:

The raw edge technique is used for the appliqués. Do not add seam allowance. Each design element is transferred to the smooth side of the double-sided fusible web (check that it is the correct way). Loosely cut around each marked piece. With a hot iron and using steam, adhere each piece to fabric of

---

- Dans la toile de fond :
- 1 carré A de 25 x 25 cm (10" x 10")
- Dans la toile de lin crème :
- 1 rectangle B de 25 x 33 cm (10 x 13")
- Dans les lainages vert foncé et vert clair :
- les tiges et les feuilles
- Dans les lainages violet et mauve :
- les roses trémières de gauche
- Dans les lainages jaune et jaune pâle :
- les roses trémières de droite
- Dans les lainages rose pâle, rose foncé et blanc :
- la fleur rose
- Dans le lainage blanc :
- la fleur en bouton
- Dans les lainages gris clair, gris foncé et noir :
- la fleur grise

Réalisation :

Schéma 1 : Reportez le motif à broder sur l'envers du carré A par transparence ou à l'aide d'un carbone spécial tissu dans le sens présenté sur le gabarit c'est-à-dire inversé par rapport au modèle final.

Lisez attentivement la notice de votre matériel à «Punch Needle», sélectionnez la position selon le matériel choisi, ici position 1 et préparez l'enfilage de l'aiguille :

sufficient size. Then cut on the marking.

- From the background linen, cut one 25 x 25 cm (10" x 10") A square.
- From the cream linen fabric, cut one 25 x 33 cm (10" x 13") B rectangle.
- From the dark green and light green wools, cut the stems and the leaves.
- From the purple and mauve wools, cut the hollyhocks on the left.
- From the yellow and pale yellow wools, cut the hollyhocks on the right.
- From the pale pink, dark pink and white wools, cut the pink flower.
- From the white wool, cut the flower in bud.
- From the light grey, dark grey and black wools, cut the grey flower.

Making the project

Diagram 1: Mark the embroidery design on the wrong side of the A square, using transparency or special tracing paper for fabric, in the direction indicated on the template; that is, it is reversed in relation to the final example.

Carefully read the instructions for your punch needle supplies, select the position according to the

Glissez l'enfile-aiguille dans l'aiguille jusqu'à ce que son bout pointu ressorte à l'autre bout du manche.
Coupez une longueur de fil à broder (correspondant à une bonne coudée). Enfilez les brins de coton à broder choisi dans l'enfile-aiguille.
Faites passer l'enfile-aiguille avec le fil à broder à travers le manche et repassez l'enfile-aiguille dans le chas de l'aiguille. Conservez le fil dans le chas de l'aiguille en retirant doucement l'enfile-aiguille.

Schéma 2 : Tendez bien la toile du carré A sur le tambour à broder, l'envers, (donc le motif), vers vous.
La broderie se travaille sur l'envers du tissu, les boucles se formant sur l'endroit.
En vous inspirant du modèle, remplissez les zones en rangs serrés en piquant à la perpendiculaire à travers la toile jusqu'à la garde de l'aiguille. Le chas de l'aiguille (par où sort le fil) doit toujours se trouver orienté vers la gauche ou vers le bas mais pas vers le haut ni la droite. Travaillez de préférence de la droite vers la gauche ou de haut en bas, en lignes ou cercles selon la zone à remplir afin de donner du mouvement. Piquez méthodiquement pour obtenir une bouclette régulière. Changez de coton à broder en fonction de la couleur désirée.
Lorsque la broderie est terminée, démontez l'ouvrage du tambour et remettez l'endroit vers vous.

material chosen, here position 1, and prepare to thread the needle:
Slip the needle threader into the needle until its pointed tip comes out the other end of the handle. Cut embroidery floss of sufficient length. Thread the strands of floss in the needle threader. Pass the needle threader with the floss through the handle and pass the needle threader through the needle eye again. Leave the floss in the needle eye, gently removing the needle threader.

Diagram 2: Tightly stretch the A square in the embroidery hoop, the wrong side (that is, the design), toward you.
The embroidery is worked on the wrong side of the fabric, with the loops forming on the right side.
Referring to the example, fill the areas in tight rows, stitching perpendicularly through the linen up to the needle handle. The needle eye (from where the floss extends) must always be oriented toward the left or toward the bottom but not toward the top or the right. Preferably work from right to left or from top to bottom, in lines or circles according to the area to be covered so as to give movement. Stitch methodically to obtain uniform loops. Change floss according to the colour desired. When embroidery is finished, remove the project from the hoop and turn the right side to face you.

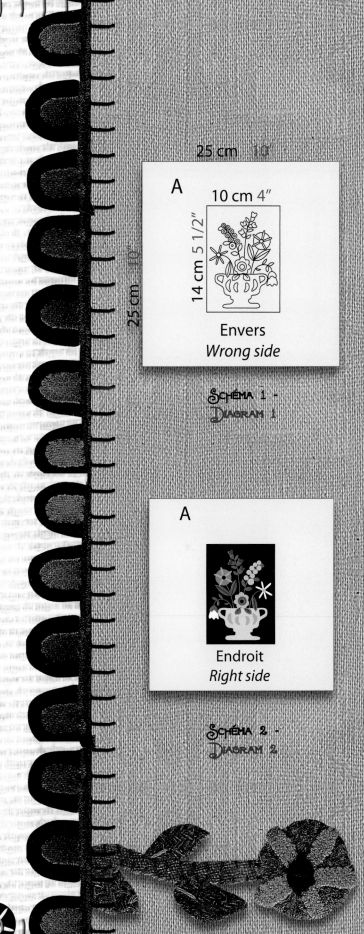

25 cm   10"
25 cm   10"

A

10 cm 4"

14 cm 5 1/2"

Envers
Wrong side

Schéma 1 -
Diagram 1

A

Endroit
Right side

Schéma 2 -
Diagram 2

Schéma 3 : Sur l'envers du rectangle B, tracez à 3 cm (1 ¼") du haut et 7 cm (2 ¾") du côté, un rectangle de 11 x 15 cm (4 ³/₈" x 6"). A l'aide du cutter, coupez sur les 2 diagonales de ce rectangle tracé. Rabattez le tissu sur l'envers (vers vous) afin d'obtenir une fenêtre. Gardez un rentré de 1.5 cm (½"), coupez le surplus de tissu. Bâtissez cet ourlet. Retournez le rectangle B sur l'endroit.

Schéma 4 : Positionnez l'envers du rectangle B sur l'endroit du carré A brodé. La fenêtre doit laisser apparaître la broderie et une marge de 1 cm (³/₈") tout autour. Festonnez la fenêtre du rectangle B avec un fil à broder de la même couleur en prenant toutes les épaisseurs.

Schéma 5 : En vous référant au schéma, positionnez les fleurs en lainage de chaque côté de la broderie. Appliquez-les à «bords francs» dans l'ordre numérique des gabarits. Otez la pellicule de papier du voile thermocollant doublant chaque élément. Fixez vos pièces au fer à repasser (chaud et vapeur). Réalisez un point de feston autour de chaque pièce avec un fil à broder de la même couleur que le lainage. Brodez le centre des fleurs au point de nœud avec un fil écru. Brodez la nervure centrale de chaque petite feuille au point de tige et de chaque grande feuille au point de devant avec un fil vert.

Schéma 6 : Tendez votre ouvrage sur la plaque de carton rigide. Installez le tout dans le cadre.

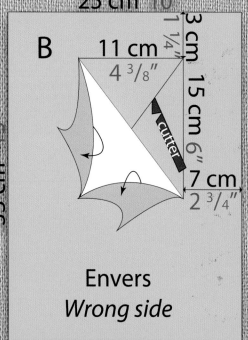

Envers
Wrong side

Schéma 3 -
Diagram 3

Endroit
Right side

Schéma 4 -
Diagram 4

Diagram 3: On the wrong side of the B rectangle, mark at 3 cm (1 ¼") from the top and 7 cm (2 ¾") from the side, an 11 x 15 cm (4 ⅜" x 6") rectangle. Using a cutter, cut on the two diagonals of this marked rectangle. Turn the fabric to the wrong side (toward you) to obtain a window. Leave a turn-under allowance of 1.5 cm (½") and trim away the excess fabric. Baste this hem. Turn the B rectangle to the right side.

Diagram 4: Position the wrong side of the B rectangle on the right side of the embroidered A square. The window must allow the embroidery to be visible and leave a seam allowance of 1 cm (⅜") all around. Blanket stitch the B rectangle window with embroidery floss in the same colour, passing through all layers.

Diagram 5: Referring to the diagram, position the wool flowers on each side of the embroidery. Appliqué them using the raw edge technique in the numerical order of the templates. Remove the paper film from the fusible web lining each element. Adhere your pieces with a hot iron, using steam. Blanket stitch around each piece with floss in the same colour as the wool. Embroider the flower centres in French knot stitch with ecru floss. Embroider the centre vein of each small leaf in stem stitch and of each large leaf in running stitch with green floss.

Diagram 6: Stretch your project over the rigid cardboard. Insert the entire project into the frame.

Schéma 5 -
Diagram 5

28 cm
20 cm 8"

Schéma 6 -
Diagram 6

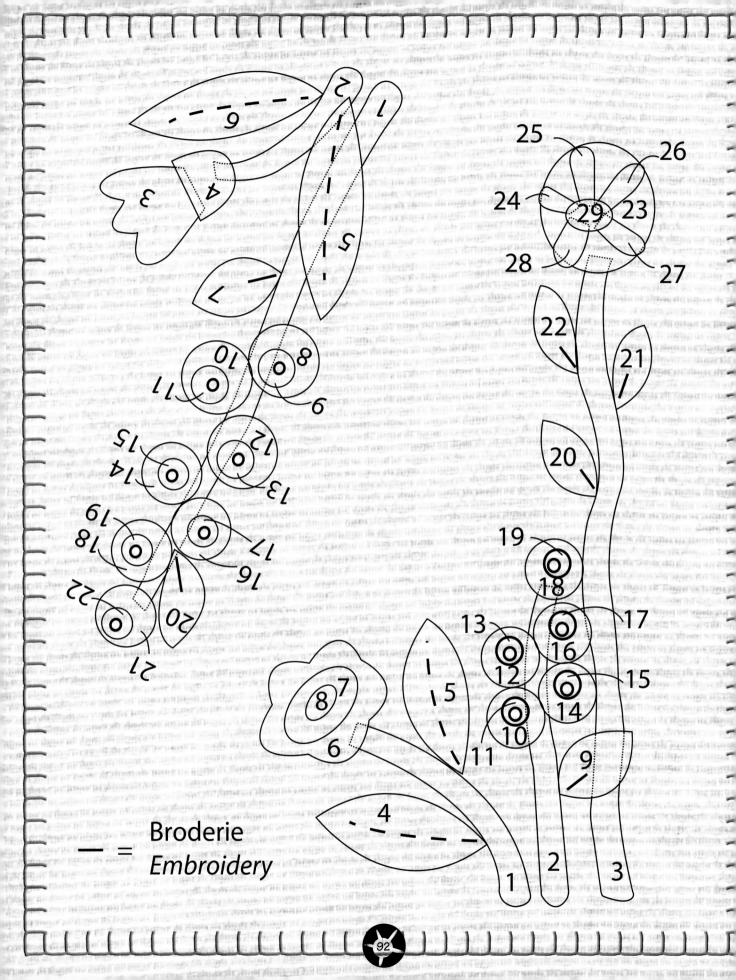

Broderie
Embroidery

— =

Gabarits à taille réelle
Full size templates

10 cm   4"

14 cm

5 1/2"

Motif à broder
Embroidery design

Dimensions de l'ouvrage :
10 x 11.5 cm (4" x 4 ½")
Project dimensions:
10 x 11.5 cm (4" x 4 ½")

Débutante - Beginner

Nécessaire à couture à Fleurs
Flowers Sewing Kit

Fournitures :

- Toile de lin écrue pour la pièce extérieure A : 15 x 30 cm (6" x 12")
- Tissu beige clair pour la pièce intérieure A : 15 x 30 cm (6" x 12")
- Lainage écru pour les pièces B, C, D et E : 11.5 x 11.5 cm (4 ½" x 4 ½")
- Lainage vert pour les feuilles : chute
- Lainages gris, bleu et violet pour les fleurs : chutes
- Fils à broder 5 brins : violet, vert, écru, bleu ciel, gris
- Ruban de satin gris de 1 cm (3/8") de large : 110 cm (44")
- 1 bouton fantaisie écru de 2.5 cm (1") de diamètre
- 1 aimant plat : 1.5 x 5 cm (1/2" x 2")
- Molleton fin : 5 x 6 cm (2" x 2 ½")
- Colle non repositionnable
- Voile thermocollant double face

Coupe :

Pour le gabarit de la pièce A, ajoutez une marge de couture de 7 mm (¼") arrondies à 15 mm (½)

pour les deux. Au besoin, faites les ajustements nécessaires. Les pièces en lainage sont réalisées à «bords francs». N'ajoutez pas de marge de couture à leur gabarit. Chacun des ronds et des feuilles en lainage est reporté sur le voile thermocollant double face, côté lisse (vérifiez le sens du dessin). Découpez grossièrement autour de chaque motif tracé. A l'aide du fer à repasser (chaud et vapeur), collez chaque partie sur les tissus adéquats. Découpez ensuite sur le trait.

- Dans la toile de lin écrue :
- La pièce extérieure A
- Dans le tissu beige clair :
- La pièce intérieure A
- Dans le lainage écru :
- Les pièces B, C, D et E
- Dans le lainage vert :
- Les feuilles
- Dans les lainages gris, bleu et violet :
- Les fleurs
- Dans le molleton fin :
- 1 rectangle de 3 x 5 cm (1 ¼" x 2")

Materials:

- Ecru linen fabric for the A outer piece: 15 x 30 cm (6" x 12")
- Light beige fabric for the A inner piece: 15 x 30 cm (6" x 12")
- Ecru wool for the B, C, D and E pieces: 11.5 x 11.5 cm (4 ½" x 4 ½")
- Green wool for the leaves: scrap
- Grey, blue and violet wools for the flowers: scraps
- Embroidery floss (5 strands): violet, green, ecru, sky blue and grey
- Grey satin ribbon 1 cm (³/₈") wide: 110 cm (44")
- One ecru decorative button 2.5 cm (1") in diameter
- One flat magnet: 1.5 x 5 cm (½" x 2")
- Thin batting: 5 x 6 cm (2" x 2½")
- Permanent glue
- Double-sided fusible web

Cutting:

For the A piece template, add a seam allowance of 7 mm (¼"), rounded to 15 mm (½") for two seams. Make any necessary changes. The raw edge technique is used for the wool pieces. Do not add seam allowances to their template. Each wool circle and leaf motif is transferred to the smooth side of the double-sided fusible web. (Check that it is the correct way.) Loosely cut around each marked design. With a hot iron and using steam, adhere each design element to fabric of sufficient size. Then cut on the marking.

- From the ecru linen fabric, cut the A outer piece.
- From the light beige fabric, cut the A inner piece.
- From the ecru wool, cut pieces B, C, D and E.
- From the green wool, cut the leaves.
- From the grey, blue and violet wools, cut the flowers.
- From the thin batting, cut one 3 x 5 cm (1 ¼" x 2") rectangle.

Réalisation :

Schéma 1 : Sur l'endroit de la pièce A en tissu beige clair, positionnez les pièces B, C, et D. Cousez au point de devant avec un fil à broder écru, les parties arrondies de ces trois pièces. Laissez libre les parties droites de façon à obtenir des poches. Positionnez la pièce E. Emprisonnez le molleton sous la pièce E et cousez tout le tour au point de devant avec un fil à broder écru. Positionnez l'aimant et collez-le. Cousez le ruban sur toute la largeur de la pièce A, à 4.5 cm (1 ³/₄") de la partie arrondie. Faites un nœud au bout du ruban pour former l'anse.

Schéma 2 : Sur l'endroit de la pièce A en lin, positionnez et appliquez les fleurs et feuilles à «bords francs» en suivant l'ordre numérique des gabarits. Otez la pellicule de papier du voile thermocollant doublant chaque élément. Fixez vos pièces au fer à repasser (chaud et vapeur). Réalisez un point de feston autour de chacune avec un fil à broder assorti.

Brodez :
- au point de nœud : - écru : le cœur des fleurs
- au point colonial :
  - bleu ciel : le tour de la fleur de gauche
  - gris : le tour de la fleur centrale
- au point de bouclette :
  - violet : le tour de la fleur de droite
- au point de chaînette :
  - vert : les nervures des feuilles
- au point arrière : - vert : les tiges.

Centrez et cousez le bouton fantaisie à 3 cm (1 ¼") du bord.

Schéma 3 : Superposez les 2 pièces A, endroit contre endroit et bord à bord (rentrez le ruban à l'intérieur). Cousez tout autour, d'un repère à l'autre à 7 mm (¼") du bord. Retournez l'ouvrage sur l'endroit et fermez l'ouverture à points glissés. Réalisez un point de feston tout autour de l'ouvrage avec un fil à broder bleu ciel. Faites une boutonnière de 2.5 cm (1") sur le repère prévu à cet effet en traversant toutes les épaisseurs, avec un fil à broder écru.

Making the kit

Diagram 1 : On the right side of the light beige fabric A piece, place the B, C and D pieces. With ecru embroidery floss and using running stitches, sew the rounded parts of these three pieces. Leave the straight parts open to obtain pockets. Position the E piece. Put the batting under the E piece and stitch all around in running stitches with ecru embroidery floss. Place the magnet in position and glue. Stitch the ribbon over the entire width of the A piece, at 4.5 cm (1 ³/₄") from the rounded part. Make a knot at the ribbon end to form the handle.

Diagram 2 : On the right side of the linen A piece, position and appliqué the flowers and leaves using the raw edge technique, following the numerical order of the templates. Remove the paper film from the fusible web lining each piece. Adhere your pieces with a hot iron, using steam. Blanket stitch around each piece with coordinating embroidery floss.

Embroider as follows:
- in French knots, with ecru floss: the flower centres
- in colonial knot stitch, with sky blue floss: the perimeter of the flower on the left; with grey floss: the perimeter of the centre flower
- in lazy daisy stitch, with violet floss: the perimeter of the flower on the right
- in chain stitch, with green floss: the leaf veins
- in backstitch, with green floss: the stems

Centre and sew on the decorative button at 3 cm (1 ¼") from the edge.

Diagram 3 : Layer the two A pieces, right sides together and edge to edge (insert the ribbon to the inside). Sew all around, from one mark to another at 7 mm (¼") from the edge. Turn the project to the right side and close the opening with running stitches.

Blanket stitch all around the project with sky blue embroidery floss. Make a buttonhole at 2.5 cm (1") on the designated mark, passing through all layers, with ecru embroidery floss.

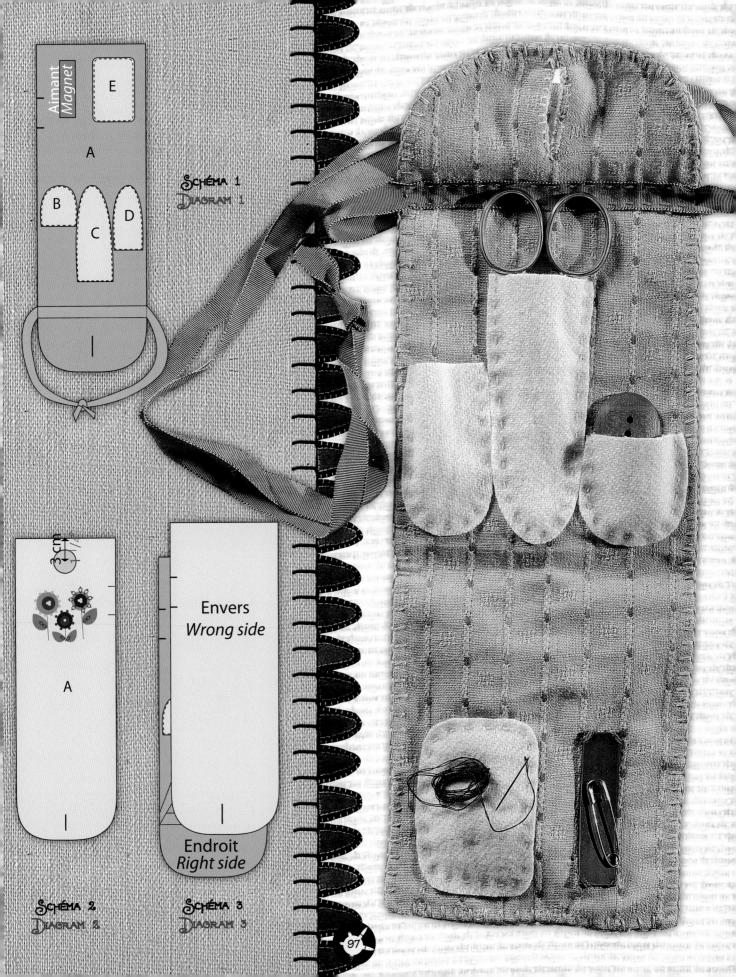

3 cm
½"

A

I

Schéma 2
Diagram 2

Envers
Wrong side

Endroit
Right side

I

Schéma 3
Diagram 3

Gabarits à taille réelle
Full size templates

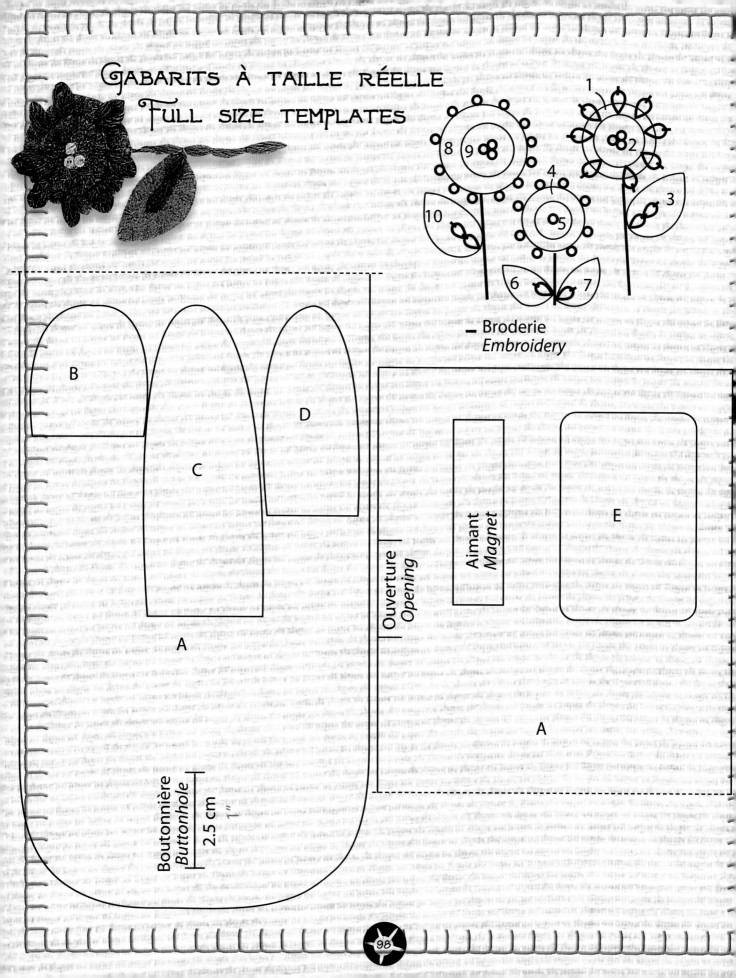

8 9

1 2

10 4 5 3

6 7

— Broderie
Embroidery

B

C

D

A

Ouverture
Opening

Aimant
Magnet

E

A

Boutonnière
Buttonhole

2.5 cm
1"

Dimensions de l'ouvrage :
19 x 28 cm (7 ½" x 11")

Project dimensions:
19 x 28 cm (7 ½" x 11")

Intermédiaire
Intermediate

Le Sac à Main à Étoiles
Star Purse

Fournitures :

- Toile de lin brun uni pour l'extérieur du sac : 25 x 110 cm (10" x 44")
- Laine bouillie beige foncé à carreaux pour la doublure du sac : 25 x 110 cm (10" x 44")
- Tissu marron foncé uni pour la doublure de la poche : 20 x 60 cm (8" x 24")
- Lainage brun uni pour la poche extérieure et la patte de boutonnage : 25 x 35 cm (10" x 13 ¾")
- Lainage noir uni pour les étoiles et les grandes languettes : 15 x 20 cm (6" x 8")
- Lainage bleu ciel uni pour les grands ronds : 10 x 15 cm (4" x 6")
- Lainage bleu uni pour les ronds moyens : 10 x 15 cm (4" x 6")
- Lainage vert uni pour les petits ronds : chute
- Lainage marron uni pour les plus petits ronds : chute
- Fil à broder 5 brins : noir, marron
- 1 bouton noir fantaisie de 3.5 cm (1 ³⁄₈") de diamètre
- 2 anses fantaisies noires
- Molleton : 25 x 110 cm (10" x 44")
- Voile thermocollant double face

- 1 carton rigide de 10 x 26.5 cm (4" x 10 ½") aux coins arrondis

Coupe :

Tous les appliqués et la patte de boutonnage sont réalisés à «bord franc» festonnés. N'ajoutez pas de marge de couture à leur gabarit. Chacun de ces éléments (sauf la patte de boutonnage) est reporté sur le voile thermocollant double face, côté lisse (vérifiez le sens du dessin). Découpez grossièrement autour de chaque motif tracé. A l'aide du fer à repasser (chaud et vapeur), collez chaque partie de dessin sur les tissus adéquats. Découpez ensuite sur le trait.

Les mesures données pour la coupe des pièces du corps du sac et de la poche incluent les marges de coutures de 7 mm (¼") arrondies à 15 mm (½") pour les deux. Au besoin, faites les ajustements nécessaires. Si vous utilisez les gabarits, ajoutez-y les marges de coutures. Les cotes sur les schémas explicatifs sont sans les coutures.

Materials

Brown solid linen for the purse exterior: 25 x 110 cm (10" x 44")

Dark beige boiled wool with checks for the purse lining: 25 x 110 cm (10" x 44")

Dark chestnut brown solid fabric for the pocket lining: 20 x 60 cm (8" x 24")

Brown solid felted wool for the exterior pocket and the button flap: 25 x 35 cm (10" x 14")

Black solid felted wool for the stars and the large tabs: 15 x 20 cm (6" x 8")

Sky blue solid felted wool for the large circles: 10 x 15 cm (4" x 6")

Blue solid felted wool for the medium circles: 10 x 15 cm (4" x 6")

Green solid felted wool for the small circles: scrap

Chestnut brown solid felted wool for the smallest circles: scrap

Embroidery floss (5 strands): black and chestnut brown

One black decorative button 3.5 cm (1 ⅜") in diameter

Two black decorative handles

Batting: 25 x 110 cm (10" x 44")

Double-sided fusible web

One piece of rigid cardboard 10 x 26.5 cm (4" x 10 ½") with rounded corners

Cutting

The raw edge technique is used for all appliqués and the button flap. Do not add seam allowance to their templates. Each design element is transferred to the smooth side of the double-sided fusible web (check that it is the correct way). Loosely cut around each marked piece. With a hot iron and using steam, adhere each piece to fabric of sufficient size. Then cut on the marking.

The measurements given for cutting the pieces for the main part of the purse and for the pocket include seam allowances of 7 mm (¼"), rounded to 15 mm (½") for two seams. Make any necessary changes. Add seam allowances if using templates. The dimensions given in the explanatory diagrams do not include seam allowances.

- Dans la toile de lin brun uni pour l'extérieur du sac :
  - 2 rectangles D de 23.5 x 37.5 cm (9 ¼" x 14 ⅝") et une pièce E
- Dans la laine bouillie beige foncé à carreaux pour la doublure du sac :
  - 2 rectangles D de 23.5 x 37.5 cm (9 ¼" x 14 ⅝") et une pièce E (marquez les repères sur l'endroit du tissu)
- Dans le tissu marron foncé uni:
  - 1 rectangle A de 13 x 18 cm (5" x 7 ½") et une pièce F
- Dans le lainage brun uni pour la poche et la patte de boutonnage :
  - 1 rectangle A de 13 x 18 cm (5" x 7 ½") et 2 pièces G (marquez l'emplacement de la boutonnière)
- Dans le lainage noir uni :
  - 2 étoiles et 6 languettes B (la marge sur le gabarit sera prise dans la couture finale)
- Dans le lainage bleu ciel uni :
  - 2 ronds de 7 cm (2 ¾") de diamètre et 1 languette C (la marge sur le gabarit sera prise dans la couture finale)

- Dans le lainage bleu uni :
  - 2 ronds de 6 cm (2 ½") de diamètre et 1 languette C (la marge sur le gabarit sera prise dans la couture finale)
- Dans le lainage vert uni :
  - 2 ronds de 2.5 cm (1") de diamètre et 2 languettes C (la marge sur le gabarit sera prise dans la couture finale)
- Dans le lainage marron uni :
  - 2 ronds de 1.5 cm (½") de diamètre et 2 languettes C (la marge sur le gabarit sera prise dans la couture finale)
- Dans le molleton :
  - 2 rectangles de 23.5 x 37.5 cm (9 ¼" x 14 ¾") et une pièce E de 12 x 28.5 cm (4 ¾" x 11 ¼")

Réalisation :

Schéma 1 : Pour la poche : Sur l'endroit du rectangle A, appliquez les ronds et les étoiles à «bord franc» en suivant l'ordre numérique des gabarits. Otez la pellicule de papier du voile thermocollant doublant chaque élément. Fixez vos pièces au fer à repasser (chaud et vapeur).

- From the brown solid linen for the purse exterior, cut the following:
two 23.5 x 37.5 cm (9 ¼" x 14 ⅝") D rectangles
one E piece
From the dark beige boiled wool with checks for the purse lining, cut the following:
two 23.5 x 37.5 cm (9 ¼" x 14 ⅝") D rectangles
one E piece (place the reference marks on the fabric right side)
From the dark chestnut brown solid fabric, cut the following:
one 13 x 18 cm (5" x 7") A rectangle
one F piece
From the brown solid felted wool for the pocket and the button flap, cut the following:
one 13 x 18 cm (5" x 7") A rectangle
two G pieces (mark the buttonhole position)
From the black solid felted wool, cut the following:
two stars
six B tabs (the seam allowance on the template will be enclosed in the final seam)
From the sky blue solid felted wool, cut the following:
two circles 7 cm (2 ¾") in diameter (Piece 1)
one C tab (the seam allowance on the template will

be enclosed in the final seam)
From the blue solid felted wool, cut the following:
two circles 6 cm (2 ½") in diameter (Piece 2)
one C tab (the seam allowance on the template will be enclosed in the final seam)
From the green solid felted wool, cut the following:
two circles 2.5 cm (1") in diameter (Piece 4)
two C tabs (the seam allowance on the template will be enclosed in the final seam)
From the chestnut brown solid felted wool, cut the following:
two circles 1.5 cm (½") in diameter (Piece 5)
two C tabs (the seam allowance on the template will be enclosed in the final seam)
From the batting, cut the following:
two 23.5 x 37.5 cm (9 ¼" x 14 ½") D rectangles
one E piece

Making the purse:

Diagram 1: For the pocket, on the right side of the A rectangle, appliqué the circles and the stars using the raw edge technique, following the numerical order of the templates. Remove the paper film from the fusible web lining each piece. Adhere your pieces with a hot iron, using steam. Sew

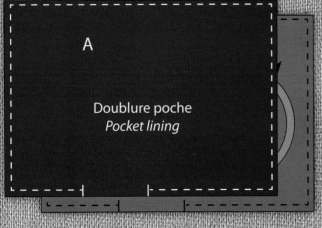

Schéma 1 - Diagram 1

Poche
Pocket

16.5 cm

11.5 cm

A

Doublure poche
Pocket lining

A

Schéma 2 - Diagram 2

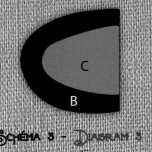

C

B

Schéma 3 - Diagram 3

Réalisez un point de feston autour de chacune avec un fil à broder 5 brins marron pour les ronds et noir pour les étoiles. Avec un fil à broder noir 5 brins faites un point de nœud au centre des 2 petits ronds marron.

Schéma 2 : Superposez le rectangle A appliqué et le rectangle A en tissu marron endroit contre endroit et bord à bord. Cousez tout autour à 7 mm (¼'') du bord d'un repère à l'autre. Retournez le travail sur l'endroit et fermez entre les 2 repères à points cachés. Brodez une ligne de point avant avec un fil à broder 5 brins noir pour séparer les 2 étoiles.

Schéma 3 : Pour chacune des 6 languettes, thermo-collez une languette C sur une languette B bord à bord et festonnez avec un fil à broder 5 brins marron.

around each piece in blanket stitch, using five strands of chestnut brown embroidery floss for the circles and black floss for the stars. With five strands of black floss make French knots in the centre of the two small chestnut brown circles.

Diagram 2: Layer the appliquéd A rectangle and the chestnut brown A rectangle with right sides together and edge to edge. Stitch all around at 7 mm (¼'') from the edge, leaving an opening of 4 cm (1 ½'') at the lower edge. Turn the project to the right side and with concealed stitches close the opening. Embroider a row of running stitches with five strands of black embroidery floss to separate the two stars.

Diagram 3: For each of the six tabs, use a hot iron and steam to adhere one C tab on one B tab, edge to edge, and blanket stitch with five strands of chestnut brown embroidery floss.

Schéma 4 : Pour le devant du sac : Sur l'endroit d'un rectangle D en lin brun, tracez l'emplacement de la poche en vous référant au schéma. Thermo-collez les languettes à droite et à gauche cet emplacement (le trait de couture des languettes sur le trait de marquage de la poche). Réalisez un point de feston autour de chacune avec un fil à broder 5 brins noir. Posez la poche sur l'emplacement prévu à cet effet. Cousez-la au point de feston avec un fil à broder 5 brins noir en laissant le haut ouvert.

Schéma 5 : Superposez un rectangle de doublure D avec le rectangle D (appliqués), endroit contre endroit et bord à bord. Ajoutez sur ces 2 morceaux, un molleton D et cousez ces trois épaisseurs à 7 mm (¼") du bord sur une largeur (l'ouverture de la poche se trouve vers la couture). Pour le dos du sac, faites une seconde fois l'opération avec les pièces D et le molleton restants. Ouvrez ces 2 morceaux de sac et repassez.

Schéma 6 : Superposez les 2 morceaux de sac, l'un sur l'autre, endroit contre endroit et bord

à bord (laine bouillie sur laine bouillie, lin sur lin). Cousez à 7 mm (¼") du bord sur toute la longueur, à droite et à gauche.

Schéma 7 : Rabattez la partie en laine bouillie vers l'extérieur sur la partie en lin.

Schéma 8 : Pour le fond du sac : Superposez une pièce E en laine bouillie et une pièce E en lin envers contre envers et bord à bord en insérant entre les deux le molleton E. Bâtissez ces trois épaisseurs.

Schéma 9 : Positionnez le corps du sac sur le fond endroit contre endroit. Les coutures des côtés doivent correspondre aux repères du fond. Cousez toutes les épaisseurs à 7 mm (¼") du bord. Retournez le sac sur l'endroit.

Schéma 10 : Posez le carton rigide au centre et sur l'envers de la pièce F en tissu marron. Rabattre les 4 côté en les collant. Insérez ce fond rigide au fond du sac.

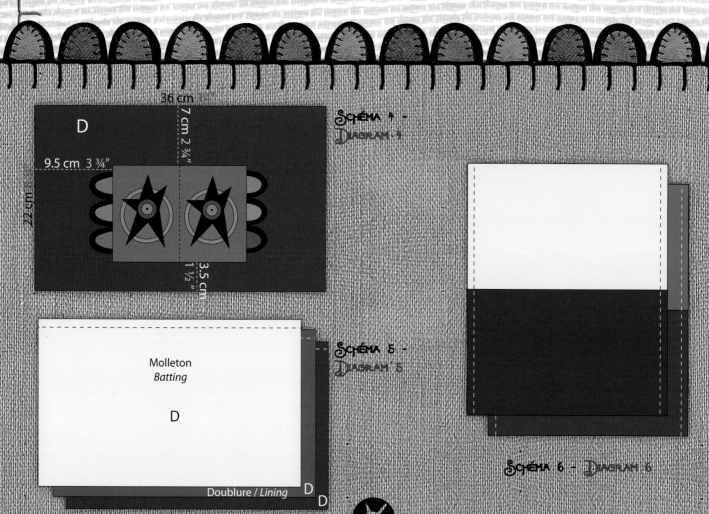

36 cm

D

9.5 cm 3 ¾"

7 cm 2 ¾"

22 cm

3.5 cm 1 ½"

Schéma 4 - Diagram 4

Molleton
Batting

D

Doublure / *Lining*   D

D

Schéma 5 - Diagram 5

Schéma 6 - Diagram 6

Diagram 4: For the purse front, on the right side of one brown linen D rectangle, mark the position for the pocket, referring to the diagram. Use the raw edge technique to appliqué the tabs to the right and left of the assigned spot (the mark for the tab seam on the mark for the pocket). Blanket stitch around each tab with five strands of black embroidery floss. Place the pocket in position. Sew the pocket in blanket stitch with five strands of black floss, leaving the top open.

Diagram 5: Layer one D lining rectangle with the appliquéd D rectangle, right sides together and edge to edge. To these two pieces add one D batting piece and join these three layers at 7 mm (¼") from the edge along one width (the pocket opening is toward the seam). For the purse back, repeat these steps a second time with the D pieces and the remaining batting. Open these two purse pieces and press.

Diagram 6: Layer these two purse sections, one on the other, right sides together and edge to

edge (boiled wool on boiled wool, linen on linen). Stitch at 7 mm (¼") from the edge along the entire length, on the right and left.

Diagram 7: Turn the boiled wool part toward the outside along the linen part.

Diagram 8: For the purse bottom, layer one boiled wool E piece and one linen E piece with wrong sides together and edge to edge, inserting the E batting between the two. Baste these three layers together.

Diagram 9: Position the main part of the purse on the bottom, right sides together. The side seams must correspond to the marks on the bottom. Stitch all layers together at 7 mm (¼") from the edge. Turn the purse to the right side.

Diagram 10: Place the rigid cardboard in the centre and on the wrong side of the chestnut brown F piece. Turn up the four sides, affixing them with adhesive. Insert this rigid bottom at the bottom of the purse.

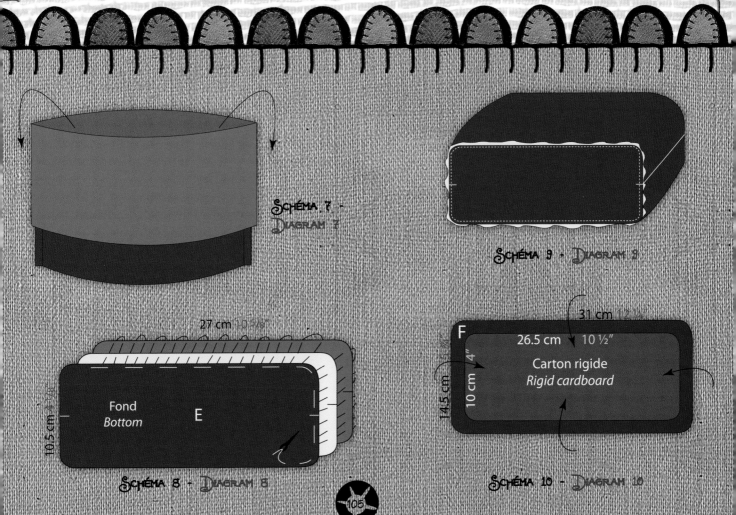

Schéma 7 - Diagram 7

Schéma 9 - Diagram 9

27 cm 10 5/8"

10.5 cm 4 1/8"

Fond
Bottom

E

Schéma 8 - Diagram 8

31 cm 12 ½"

F

26.5 cm 10 ½"

Carton rigide
Rigid cardboard

14.5 cm 5 3/4"

10 cm 4"

Schéma 10 - Diagram 10

Schéma 11 : Pour la patte de boutonnage, superposez les 2 pièces G l'une sur l'autre et bord à bord. Festonnez tout le tour à «bord franc» avec un fil à broder 5 brins noir. Incisez les deux épaisseurs sur le repère et festonnez une boutonnière de 3.5 cm (1 ³/₈") avec un fil à broder 5 brins noir.

Schéma 12 : Brodez l'ouverture du sac avec un fil à broder 5 brins noir au point de feston. Faites un revers de 4 cm (1 ½") sur le haut du sac. Fixez ce revers sur l'avant en cousant le bouton fantaisie (centrez-le), et sur l'arrière en cousant la patte de boutonnage à points cachés.

Schéma 13 : Cousez les anses noires fantaisies sur le sac.

Diagram 11: For the button flap, layer the two G pieces one on the other and edge to edge. Use the raw edge technique and blanket stitch all around with five strands of black embroidery floss. Slit the two layers on the mark and sew a 3.5 cm (1 ³/₈") buttonhole in blanket stitch with five strands of black embroidery floss.

Diagram 12: Embroider the purse opening in blanket stitch with five strands of black floss. Turn under 4 cm (1 ½") on the purse top. Stitch this turn-under onto the front, sewing on the centred decorative button, and on the back, attaching the button flap with concealed stitches.

Diagram 13: Stitch the black decorative handles to the purse.

Schéma 11 - Diagram 11

Schéma 12 - Diagram 12

Schéma 13 - Diagram 13

31 cm 12 ¼"

14.5 cm 5 ¾"

F

Gabarits à
taille réelle

Full size templates

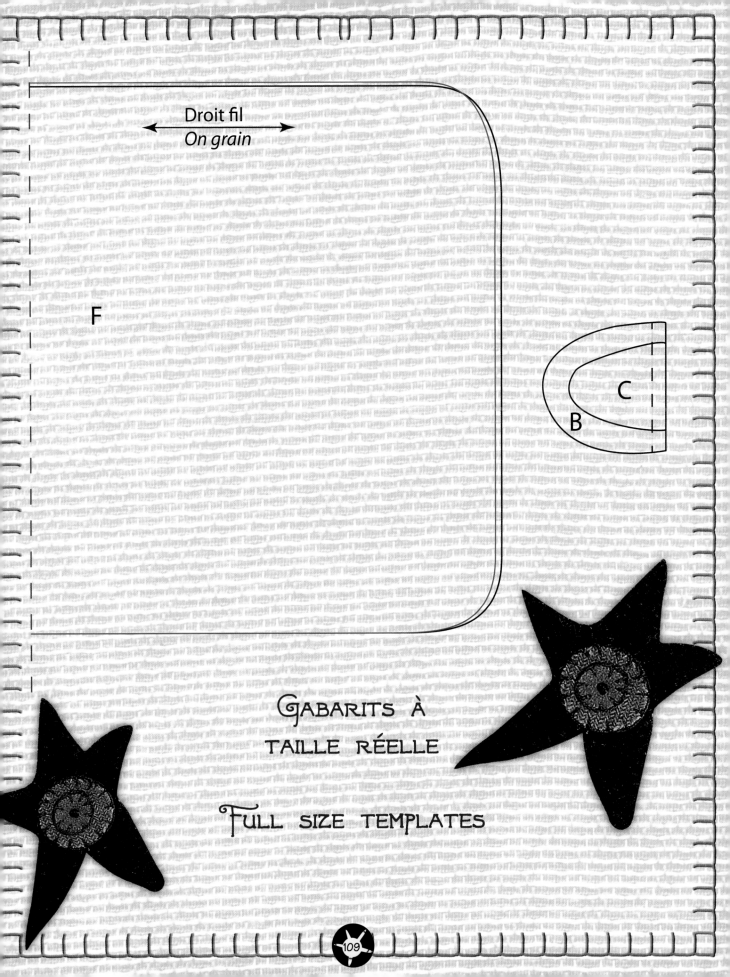

Droit fil
On grain

F

B
C

GABARITS À
TAILLE RÉELLE

FULL SIZE TEMPLATES

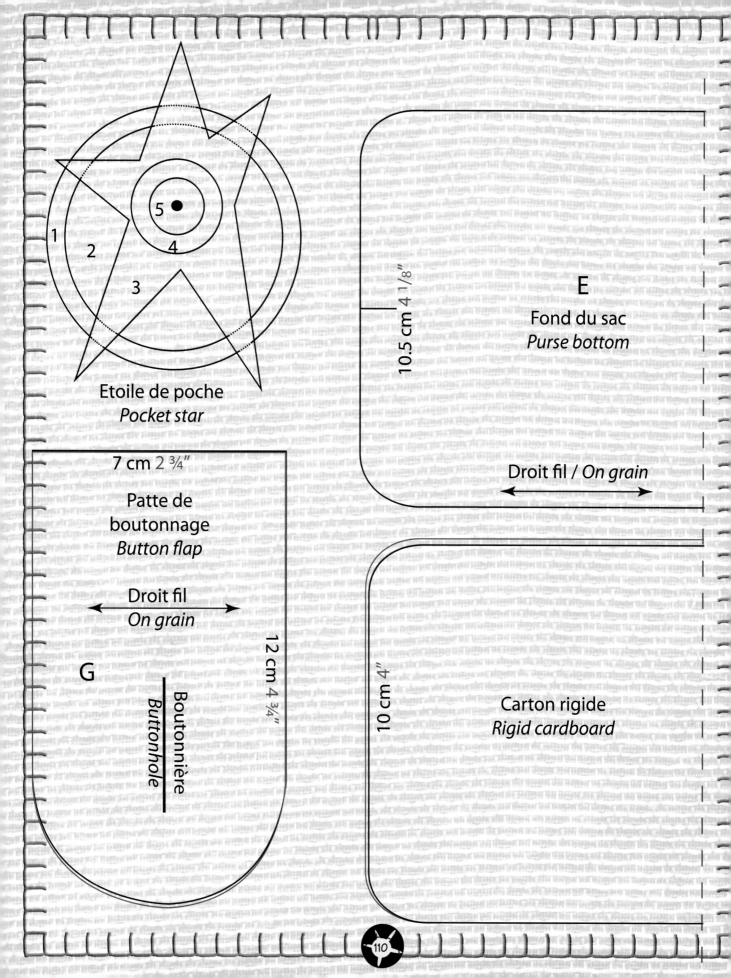

Etoile de poche
Pocket star

1
2
3
4
5

E

Fond du sac
Purse bottom

10.5 cm 4 1/8"

Droit fil / *On grain*

7 cm 2 ¾"

Patte de boutonnage
Button flap

Droit fil
On grain

G

12 cm 4 ¾"

Boutonnière
Buttonhole

10 cm 4"

Carton rigide
Rigid cardboard

27 cm 10 ⅝"

E

Fond du sac
Purse bottom

Carton rigide
Rigid cardboard

Gabarits à
taille réelle

Full size
templates

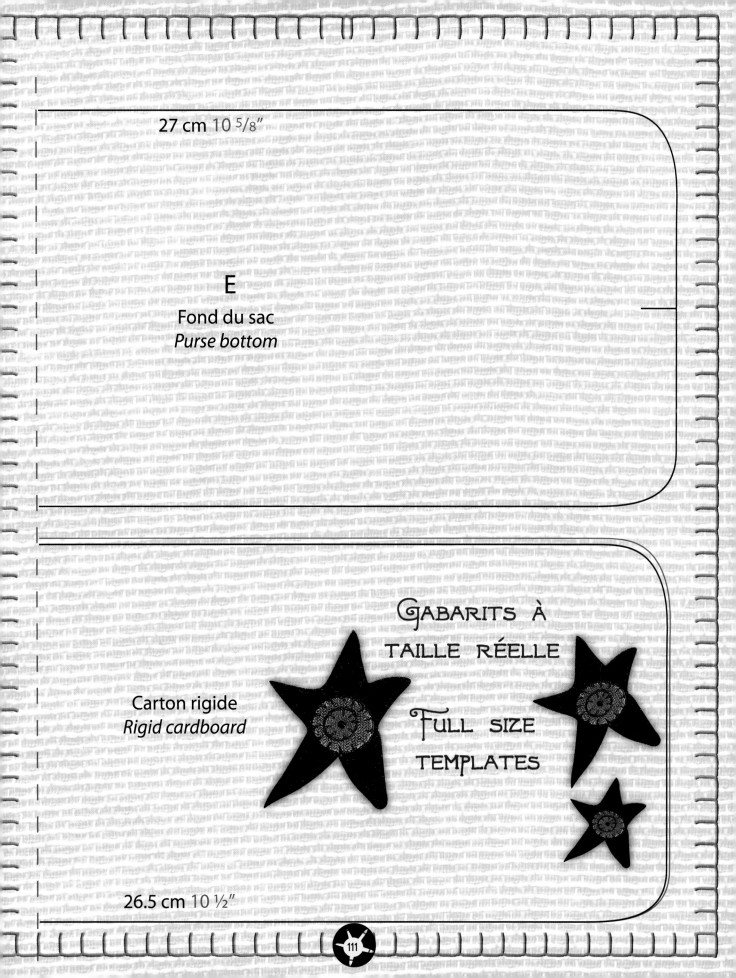

26.5 cm 10 ½"

Pelote à Épingles Fleur
Flower Pincushion

Dimensions de L'ouvrage : 10 x 15 cm (4" x 6")

Project dimensions: 10 x 15 cm (4" x 6")

Débutante - Beginner

Fournitures :

- Lainage bleu-gris pour le socle : 14 x 16 cm (5 ½" x 6 ¼")
- Lainage noir pour la pelote : 20 x 30 cm (8" x 12")
- Lainage bleu pour les fleurs : 10 x 20 cm (4" x 8")
- Lainage beige pour le centre intermédiaire des fleurs : 10 x 15 cm (4" x 6")
- Lainage beige très clair pour le cœur des fleurs : 5 x 12 cm (2" x 4 ¾")
- Lainage gris moyen pour les ronds du socle : 1 carré de 7 cm (2 ¾") de côté
- Carton rigide pour le fond : 6.5 x 10 cm (2 ⅝" x 4")
- Fil à broder 5 brins : gris, marron, écru, bleu
- Ouatine

Coupe :

Le socle, les ronds et les fleurs sont réalisés à «bords francs». N'ajoutez pas de marge de couture à leur gabarit. Pour les parties de lainage noir, ajoutez au gabarit une marge de couture de 7 mm (¼") sur le côté arrondi et une marge de 2 cm (¾") sur le côté droit.

- Dans le lainage bleu-gris :
- 1 socle A
- Dans le lainage noir :
- 2 pièces C (attention aux marges de coutures)
- Dans le lainage bleu :
- 2 fleurs D
- Dans le lainage beige :
- 2 centres intermédiaires E
- Dans le lainage beige très clair :
- 2 cœurs de fleur F
- Dans le lainage gris moyen :
- 10 ronds B
- Dans le carton rigide :
- 1 fond.

Materials:

- Blue-grey wool for the base: 14 x 16 cm (5 ½" x 6 ¼")
- Black wool for the pincushion: 20 x 30 cm (8" x 12")
- Blue wool for the flowers: 10 x 20 cm (4" x 8")
- Beige wool for the in-between centre of the flowers: 10 x 15 cm (4" x 6")
- Very light beige wool for the flower centres: 5 x 12 cm (2" x 4 ¾")
- Medium grey wool for the base circles: one square of 7 cm (2 ¾")
- Rigid cardboard for the bottom: 6.5 x 10 cm (2 ⅝" x 4")
- Embroidery floss (5 strands): grey, chestnut brown, ecru and blue
- Stuffing

Cutting:

The raw edge technique is used for the base, the circles and flowers. Do not add seam allowance to their templates. For the black wool parts, add a seam allowance of 7 mm (¼") on the rounded side and a seam allowance of 2 cm (¾") on the right side.

- From the blue-grey wool, cut the A base.
- From the black wool, cut two C pieces (be careful in regard to the seam allowances).
- From the blue wool, cut the two D flowers.
- From the beige wool, cut the two E in-between centres.
- From the very light beige wool, cut two F flower centres.
- From the medium grey wool, cut ten B circles.
- From the rigid cardboard, cut one bottom.

Réalisation :

Schéma 1 : Sur le socle A, placez les ronds B et cousez-les avec un fil à broder (5 brins) gris au point lancé en «étoile». Repérez l'emplacement du fond avec un fil de bâti.

Schéma 2 : Sur une fleur bleue, centrez et festonnez à «bord franc», un centre E avec un fil à broder (5 brins) marron. Sur cette pièce E, centrez et festonnez à «bord franc» un centre F avec un fil à broder (5 brins) écru. Finissez cette fleur en brodant quelques points de nœud en son centre avec un fil à broder (5 brins) écru. Réalisez au total 2 fleurs identiques.

Schéma 3 : Superposez les 2 pièces C bord à bord, endroit contre endroit. Cousez à 7 mm (¼") du bord sur toute la partie arrondie. Retournez l'ouvrage sur l'endroit.

Schéma 4 : Sur l'un des côtés de cet ouvrage, cousez une fleur avec un fil à broder (5 brins) bleu en faisant un point de chaînette autour du centre marron.
De la même façon, cousez la seconde fleur sur le second côté de l'ouvrage.

Schéma 5 : Garnissez l'intérieur de la pelote avec la ouatine en laissant vide la marge de couture de 2 cm (¾"). Insérez le fond en carton dans la pelote jusqu'à la marge de couture. Repliez cette marge sur le carton

Schéma 6 : Posez le socle sur le fond de la pelote en le centrant. Cousez-le à points cachés.

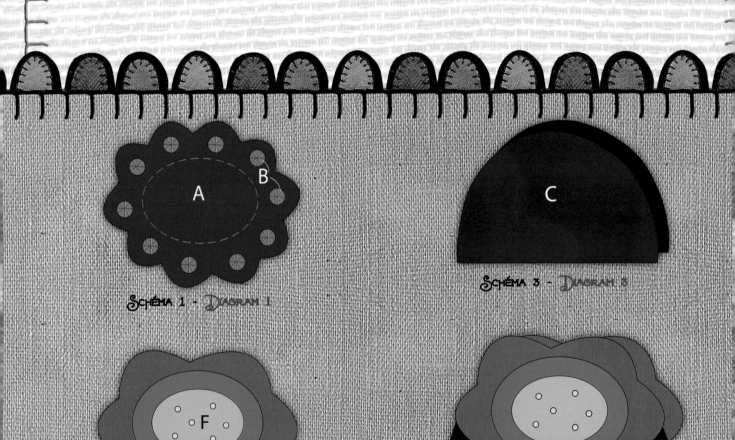

Schéma 1 - Diagram 1

Schéma 3 - Diagram 3

Schéma 2 - Diagram 2

Schéma 4 - Diagram 4

Making the Pincushion:

Diagram 1: On the A base, place the B circles and stitch with five strands of grey embroidery floss in straight stitch in a star formation. Mark the placement for the bottom with a basting stitch.

Diagram 2: On one blue flower centre and appliqué, using the raw edge technique, one E centre with five strands of chestnut brown floss. On this E piece centre and appliqué, using the raw edge technique, one F centre with five strands of ecru floss. Complete the flower by embroidering a few French knot stitches in its centre with five strands of ecru floss.
Make two identical flowers in total.

Diagram 3: Layer the two C pieces edge to edge, right sides together. Stitch at 7 mm (¼") from the edge along the entire rounded part. Turn the project to the right side.

Diagram 4: On one side of the project join a flower with five strands of blue floss, sewing in chain stitch around the chestnut brown centre.
In the same manner, stitch the second flower on the second side of the project.

Diagram 5: Insert the stuffing in the pincushion, leaving open the seam allowance of 2 cm (¾"). Position the cardboard bottom in the pincushion right up to the seam allowance. Turn this seam allowance over the cardboard.

Diagram 6: Place the base on the bottom of the pincushion, centring it. Attach with concealed stitches.

Schéma 5 - Diagram 5

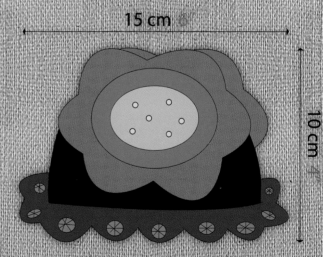

Schéma 6 - Diagram 6

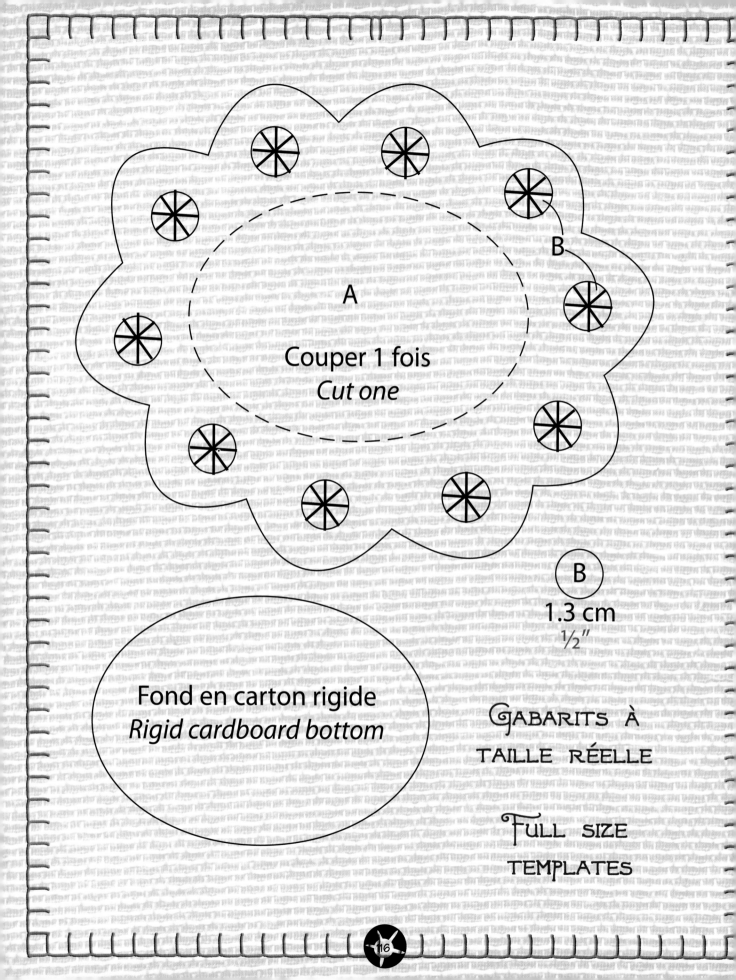

A

Couper 1 fois
Cut one

B

1.3 cm
½″

Fond en carton rigide
Rigid cardboard bottom

Gabarits à taille réelle

Full size templates

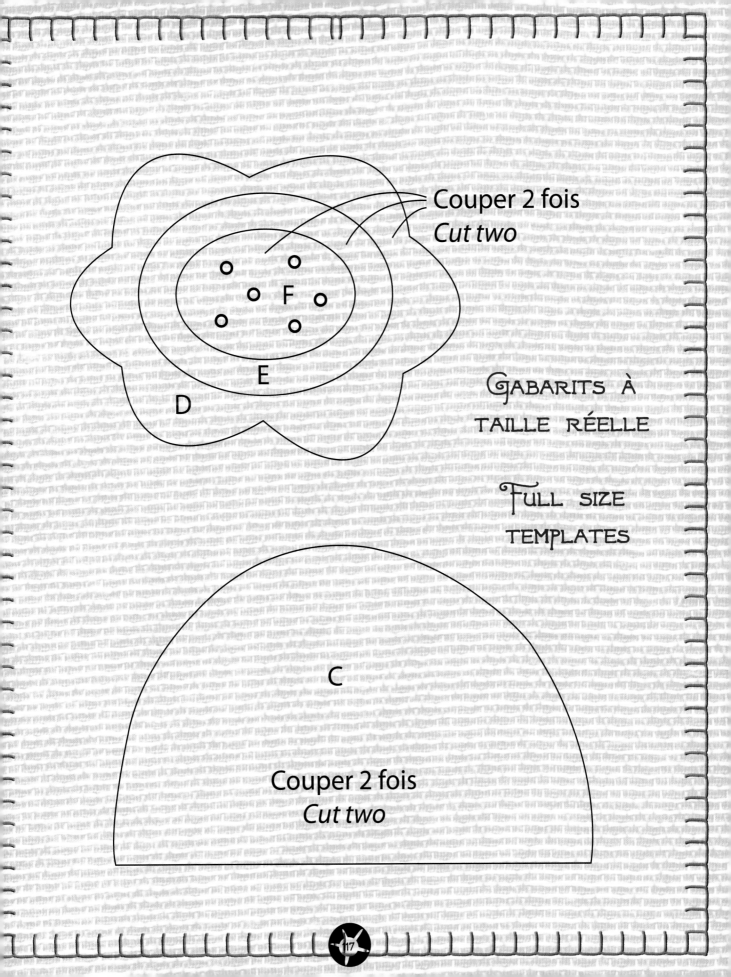

Couper 2 fois
Cut two

D E F

GABARITS À
TAILLE RÉELLE

FULL SIZE
TEMPLATES

C

Couper 2 fois
Cut two

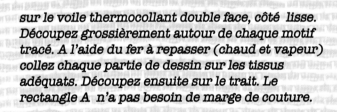

CHEMIN DE TABLE

Dimensions de L'ouvrage :
42 x 79 cm (16 ½" x 31")

DÉBUTANTE

FOURNITURES :

Cet ouvrage n'est ni molletonné, ni quilté.
- Toile de jute pour le rectangle A : 45 x 82 cm
  (18" x 32 ³/₈")
- Assortiment de lainages sombres (bleu, gris,
  marron) pour les grands ronds et les moyens :
  20 x 110 cm (8" x 44") au total.
- Lainage noir pour les petits ronds : 10 x 70 cm
  (4" x 28")
- Ruban de satin vert pâle de 0.75 cm (¼") de
  large : 340 cm (4yd)
- Fils à broder 2 brins : noir, marron, gris, bleu
- Laines à broder : écrue, noire, grise
- Voile thermocollant double face
- Doublure en coton: 45 x 82 cm (18" x 31")
- 1 feutre effaçable à l'eau
- 1 biais kaki de finition de 3.5 x 250 cm (1 ³/₈" x 2 ¾yd)

COUPE :

*Les appliqués sont réalisés à «bords francs»
festonnés. N'ajoutez pas de marge de couture
aux gabarits. Chacun de ces éléments est reporté*
*sur le voile thermocollant double face, côté lisse.
Découpez grossièrement autour de chaque motif
tracé. A l'aide du fer à repasser (chaud et vapeur)
collez chaque partie de dessin sur les tissus
adéquats. Découpez ensuite sur le trait. Le
rectangle A n'a pas besoin de marge de couture.*

- Dans la toile de jute :
- le rectangle A de 42 x 79 cm (16 ½" x 31 ½")
- Dans l'assortiment de lainages sombres (bleu,
  gris, marron) :
- 12 grands ronds de 9.5 cm (3 ¾") de diamètre
- 12 ronds moyens de 6 cm (2 ½") de diamètre
- Dans le lainage noir :
- 12 petits ronds de 4.5 cm (1 ¾") de diamètre
- Dans le ruban de satin vert pâle de 0.75 cm (¼")
  de large :
- 2 bandes de 80 cm (31 ½")
- 4 bandes de 43 cm (17")
- Dans la doublure :
- 1 rectangle A de 42 x 79 cm (16 ½" x 31 ½")

TABLE RUNNER

Project dimensions: 42 x 79 cm
(16 ½" x 31")

Beginner

Materials:

This project does not contain batting and is not quilted.

Burlap for the A rectangle: 45 x 82 cm (18" x 32 ³/₈")

Assortment of dark wools in blue, grey and chestnut brown for the large and medium circles: 20 x 110 cm (8" x 44") in total

Black wool for the small circles: 10 x 70 cm (4" x 28")

Pale green satin ribbon 0.75 cm (¼") wide: 340 cm (4 yd)

Embroidery floss (2 strands): black, chestnut brown, grey and blue

Embroidery wool: ecru, black and grey

Double-sided fusible web

Cotton backing: 45 x 82 cm (18" x 31")

Water-soluble marker

Khaki green finishing binding 3.5 x 250 cm (1 ³/₈" x 2 ¾ yd)

Cutting:

The raw edge technique is used for the appliqués.

Do not add seam allowance to their templates. Each design element is transferred to the smooth side of the double-sided fusible web (check that it is the correct way). Loosely cut around each marked piece. With a hot iron and using steam, adhere each piece to fabric of sufficient size. Then cut on the marking. The A rectangle does not require a seam allowance.

• From the burlap, cut a 42 x 79 cm (16 ½" x 31 ½") A rectangle.

• From the assortment of dark wools in blue, grey and chestnut brown, cut the following:
- twelve 9.5 cm (3 ¾") diameter large circles
- twelve 6 cm (2 ½") diameter medium circles

• From the black wool, cut twelve 4.5 cm (1 ¾") diameter small circles.

• From the pale green satin ribbon 0.75 cm (¼") in width, cut the following:
- two 80 cm (31 ½") strips
- four 43 cm (17") strips

• From the backing, cut one 42 x 79 cm (16 ½" x 31 ½") A rectangle.

Réalisation :

Schéma 1 : Sur l'endroit du rectangle A, tracez 2 lignes horizontales espacées chacune de 14 cm (5 ½"). Tracez ensuite 2 lignes verticales espacées chacune de 14 cm (5 ½") en partant du bord droit. Faites de même, en partant du bord gauche.

Cousez une bande de ruban sur chaque ligne tracée. Ne rentrez pas les extrémités, elles seront recoupées et prises dans le biais final.

Schéma 2 : Sur l'endroit d'un grand rond, centrez et appliquez à «bords francs», un rond moyen. Sur ce rond moyen centrez et thermo-collez un petit rond. Otez la pellicule de papier du voile thermocollant doublant chaque rond. Fixez les pièces au fer à repasser (chaud et vapeur). Réalisez un point de feston autour de chaque rond avec un fil à broder deux brins de la même couleur que les tissus.

Brodez en vous référant au schéma :
• Avec la laine grise :
- un point lancé en étoile, au centre du petit rond.
• Avec la laine écrue :
- un point de nœud au centre du petit rond.
• Avec la laine noire :

- des points de devant autour du rond moyen.
Réalisez au total 12 lots de 3 ronds en variant les couleurs.

Schéma 3 : Thermo-collez chaque lot de ronds sur le rectangle A, dans un carré de 14 cm (5 ½") de côté, obtenu avec le quadrillage au ruban. Festonnez chaque grand rond avec la laine noire.

En vous référant au schéma, brodez :
- Autour de chaque grand rond, un cercle de 11 cm (4 ³/₈") de diamètre, au point de devant avec la laine écrue.
- A chaque intersection du ruban, un point lancé en croix avec la laine grise.
- Au centre du point lancé en croix, un petit point lancé vertical avec la laine noire.
Bâtissez l'ouvrage sur le rectangle A de doublure, envers contre envers.

Schéma 4 : Pour la finition, posez le biais vert kaki tout autour du chemin de table en prenant soin de bien prendre les extrémités des rubans dans la couture.

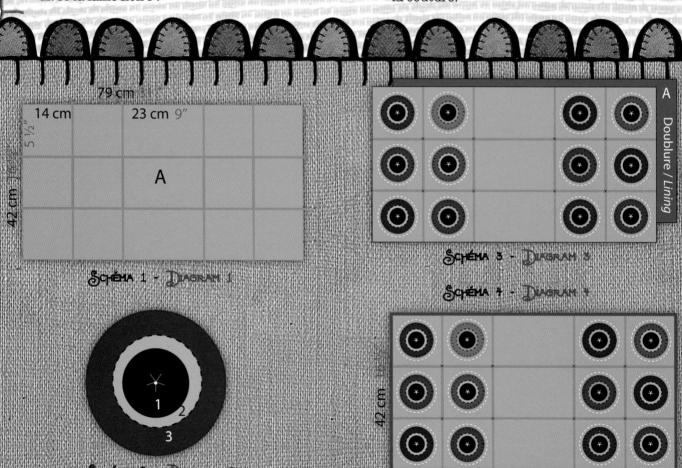

79 cm

14 cm   23 cm 9"

5 ½

42 cm

A

Schéma 1 - Diagram 1

1
2
3

Schéma 2 - Diagram 2

A

Doublure / Lining

Schéma 3 - Diagram 3

Schéma 4 - Diagram 4

42 cm

79 cm

MAKING THE TABLE RUNNER

Diagram 1: On the right side of the A rectangle, mark two horizontal lines spaced 14 cm (5 ½") apart. Mark two vertical lines spaced 14 cm (5 ½") apart, beginning at the right edge. Repeat, beginning at the left edge.

Stitch a strip of ribbon along each marked line. Do not turn under the ends; they will be recut and incorporated into the final binding.

Diagram 2: On the right side of one large circle, using the raw edge technique, centre and appliqué one medium circle. On this medium circle centre and heat fuse a small circle. Remove the paper film from the fusible web lining each circle.

Adhere the pieces with a hot iron, using steam. Blanket stitch around each circle with two strands of embroidery floss in the same colour as the fabrics.

Embroider as follows, referring to the diagram:
• with grey wool, straight stitch in a star formation in the centre of the small circle
• with ecru wool, French knot stitch in the centre of the small circle

with the black wool, running stitches around the medium circle.

Make twelve sets of three circles in total, varying the colours.

Diagram 3: Heat fuse each set of circles on the A rectangle in a 14 cm (5 ½") square as obtained by attaching the ribbon in grid formation. Blanket stitch each large circle with black wool.

Referring to the diagram, embroider as follows:
• around each large circle, a circle 11 cm (4 ³⁄₈") in diameter, in running stitch with ecru wool
• at each ribbon intersection, in straight stitch in a cross formation with grey wool
• at the centre of the straight stitch in cross formation, a small vertical straight stitch with black wool

Baste the project on the A backing rectangle, wrong sides together.

Diagram 4: To complete the project, attach the khaki green binding all around the runner, making certain to securely incorporate the ribbon ends into the seam.

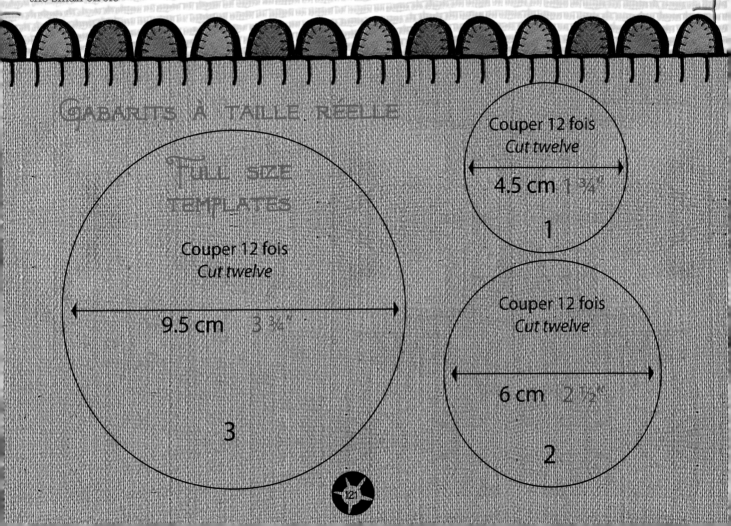

GABARITS À TAILLE RÉELLE

FULL SIZE TEMPLATES

Couper 12 fois
Cut twelve
9.5 cm   3 ¾"
3

Couper 12 fois
Cut twelve
4.5 cm 1 ¾"
1

Couper 12 fois
Cut twelve
6 cm   2 ½"
2

-Lainage beige : 25 x 110 cm (10" x 44")
-Lainage noir : 20 x 110 cm (8" x 44")
-Lainage rouge pour les tomates : 10 x 10 cm
  (4" x 4")
-Lainage vert pour les feuilles : chute
-Lainage beige moyen pour les ciseaux et la
  bobine : 10 x 10 cm (4" x 4")
-Lainage bleu pour le fil de la bobine : chute
-Tissu pour la doublure du sac : 25 x 50 cm
  (10" x ½yd)

-Ouatine
-1 aimant rectangulaire et plat
-5 boutons écrus de 1.5 cm (½") de diamètre
-Velcro beige de 1.5 cm (½") de large : 30 cm (12")
-1 carton très rigide ou une fine planchette de
  bois : 15 x 18 cm (6" x 7")
-Fils à broder 3 brins : vert, beige, marron, noir,
  bleu, écru
-Voile thermocollant double face
-Colle non repositionnable

Mon Nécessaire à Couture
My Sewing Kit

Dimensions de l'ouvrage : 18 x 21 cm (7" x 8 ¹/₄")
Project dimensions: 18 x 21 cm (7" x 8 ¹/₄")

Débutante - Beginner

Materials:
Beige wool: 25 x 110 cm (10" x 44")
Black wool: 20 x 110 cm (8" x 44")
Red wool for the tomatoes: 10 x 10 cm (4" x 4")
Green wool for the leaves: scrap
Medium beige wool for the scissors and spool: 10 x
  10 cm (4" x 4")
Blue wool for the thread on the spool: scrap
Fabric for the bag lining: 25 x 50 cm (10" x ½ yd)
Stuffing

One flat rectangular magnet
Five ecru buttons 1.5 cm (½") in diameter
Beige Velcro 1.5 cm (½") wide: 30 cm (12")
One piece of very rigid cardboard or narrow wood
  board: 15 x 18 cm (6" x 7")
Embroidery floss (3 strands): green, beige,
  chestnut brown, black, blue and ecru
Double-sided fusible web
Permanent glue

Coupe :

Les appliqués sont réalisés à «bords francs» festonnés. N'ajoutez pas de marge de couture à leur gabarit. Chacun de ces éléments est reporté sur le voile thermocollant double face, côté lisse (vérifiez le sens du dessin). Découpez grossièrement autour de chaque motif tracé. A l'aide du fer à repasser (chaud et vapeur), collez chaque partie de dessin sur les tissus adéquats. Découpez ensuite sur le trait.

Les mesures données pour les parties composant le sac et sa doublure, incluent des marges de couture de 7 mm (¼") arrondies à 15 mm (½") pour les deux, excepté pour la partie beige du fond (pièce G) pour laquelle une marge de 2 cm (¾") est prévue tout autour. Au besoin, faites les ajustements nécessaires. La partie noire (rectangle F) du fond est à «bords francs», n'ajoutez pas de marge de couture. Les cotes sur les schémas explicatifs sont sans les coutures.

• Dans le lainage beige :
-4 pattes de boutonnage E
-1 rectangle G de 19 x 22 cm (7 ½" x 8 ½")
-2 rectangles I de 19.5 x 22.5 cm (7 ¹¹/₁₆" x 8 ¾")

• Dans le lainage noir :
-4 pattes de boutonnage E
-1 rectangle F de 15 x 18 cm (6" x 7 ¹/₈")
-1 pièce H
-2 ronds A (marquez les repères)
-1 pièce B
-1 pièce C (marquez le repère)
-1 pièce D (marquez le repère)
• Dans le lainage rouge :
-Les tomates
• Dans le lainage vert :
-Les feuilles de tomates
• Dans le lainage beige moyen :
-Les ciseaux
-La bobine
• Dans le lainage bleu :
-Le fil de la bobine
• Dans le tissu pour la doublure du sac :
-2 rectangles I de 19.5 x 22.5 cm (7 ¹¹/₁₆" x 8 ¾")

Réalisation :

Pour le coussin à épingles :

Schéma 1 : Sur l'endroit d'un cercle A, appliquez les différents éléments à «bords francs». Otez

Cutting:

The raw edge technique is used for the appliqués. Do not add seam allowance to their templates. Each design element is transferred to the smooth side of the double-sided fusible web (check that it is the right way). Loosely cut around each marked piece. With a hot iron and using steam, adhere each piece to fabric of sufficient size. Then cut on the marking. The measurements given for the parts that make up the case and its lining include seam allowances of 7 mm (¼"), rounded to 15 mm (½") for two seams, except for the beige part of the bottom (piece G), which has a seam allowance of 2 cm (¾") all around. Make any necessary changes. The raw edge technique is used for the black part (rectangle F) of the bottom; do not add seam allowance.

The dimensions given in the explanatory diagrams do not include seam allowances.

• From the beige wool, cut the following:
- four E button tabs
- one 19 x 22 cm (7 ½" x 8 ½") G rectangle
- two 19.5 x 22.5 cm (7 ¹¹/₁₆" x 8 ¾") I rectangles

• From the black wool, cut the following:
- four E button tabs
- one 15 x 18 cm (6" x 7 ¹/₈") F rectangle
- one H piece
- two A circles (place reference marks)
- one B piece
- one C piece (place reference mark)
- one D piece (place reference mark)
• From the red wool, cut the tomatoes.
• From the green wool, cut the tomato leaves.
• From the medium beige wool, cut the following:
- the scissors
- the spool
• From the blue wool, cut the thread for the spool.
• From the fabric for the bag lining, cut two 19.5 x 22.5 cm (7 ¹¹/₁₆" x 8 ¾") I rectangles.

Making the kit

For the pincushion:

Diagram 1: On the right side of one A circle, appliqué the various elements using the raw edge technique. Remove the paper film from the fusible web lining each piece. Adhere your pieces

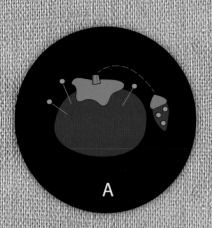

Schéma 1 - Diagram 1

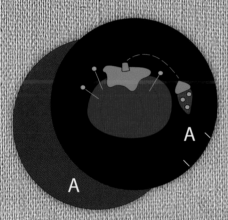

Schéma 2 - Diagram 2

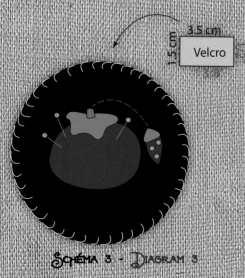

3.5 cm

Velcro

1.5 cm

Schéma 3 - Diagram 3

la pellicule de papier du voile thermocollant doublant chaque élément. Fixez vos pièces au fer à repasser (chaud et vapeur). Réalisez un point de feston autour de chacune avec un fil à broder de la même couleur que les tissus.

Brodez :

Avec le fil beige :

-les épingles, au point arrière.

-les grains de la petite tomate, au point de nœud.

Avec le fil vert :

-la tige, au point arrière.

-la queue, au point de bouclette.

Avec le fil marron :

-les quartiers de la tomate, au point arrière.

Schéma 2 : Superposez les deux ronds A envers sur envers, bord à bord. Cousez tout le tour, d'un repère à l'autre au point de feston avec un fil à broder écru.

Schéma 3 : Garnissez la pelote de ouatine et fermez-la en finissant le tour au point de feston. A l'arrière de la pelote, cousez un morceau de Velcro de 3.5 cm (1 ³/₈").

with a hot iron, using steam. Blanket stitch around each piece with embroidery floss in the same colour as the fabrics.

Embroider as follows:

-With the beige floss:

the pins, in backstitch

the seeds of the small tomato, in French knot stitch

-With the green floss:

the stem, in backstitch

the stalk, in lazy daisy stitch

-With the chestnut brown floss:

the tomato sections, in backstitch

Diagram 2: Layer the two A circles with wrong sides together, edge to edge. Stitch all around, from one mark to another, in blanket stitch with ecru floss.

Diagram 3: Insert stuffing in the pincushion and use blanket stitch to close the remainder of the edge. Stitch a Velcro piece measuring 3.5 cm (1 ³/₈") to the pincushion back.

Pour l'étui à ciseaux :

Schéma 4 : Sur l'endroit de la pièce B, thermo-collez les ciseaux dans l'ordre numérique des gabarits. Festonnez-les avec un fil à broder beige. Brodez la vis des ciseaux au point lancé avec un fil à broder noir. Sur le haut de la pièce centrez et cousez un bouton.

Schéma 5 : Sur l'envers de la pièce D, positionnez l'envers de la pièce B en bas et celui de la pièce C en haut (repère sur repère).

Schéma 6 : Festonnez les deux épaisseurs, sur tout le tour avec un fil à broder écru. Incisez les deux épaisseurs sur les repères des pièces C et D et brodez une boutonnière de 1.5 cm (½'') avec un fil à broder noir en prenant les deux épaisseurs. A l'arrière de l'étui, cousez un morceau de Velcro de 3.5 cm (1 ³/₈'') (en vous référant au schéma).

Pour le rabat :

Schéma 7 : Sur l'endroit d'une pièce E noire, sur la partie arrondie, centrez et cousez un bouton. Sur l'endroit d'une pièce E beige, sur la partie arrondie, centrez et cousez un morceau de Velcro de 2 cm (¾''). Superposez ces 2 pièces E envers sur envers et festonnez tout le tour avec un fil à broder écru.
Réalisez au total 4 pattes de boutonnage identiques.

Schéma 8 : Sur l'envers du rectangle F, positionnez (en vous référant au schéma) et cousez les 4 pattes de boutonnage (les morceaux de Velcro vers vous).

Schéma 9 : Sur l'endroit du rectangle G, positionnez (en vous référant au schéma) et cousez deux morceaux de Velcro de 3.5 cm (1 ³/₈'') et collez l'aimant. Sur l'envers du rectangle G, centrez le carton rigide (ou la planchette). Rabattez et collez les marges de 2 cm (¾'') de tissu sur le fond rigide.
Superposez et collez ce rectangle G avec le rectangle F, envers sur envers et bord à bord.

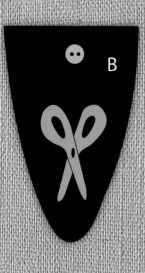

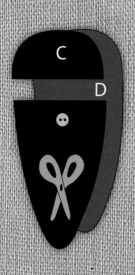

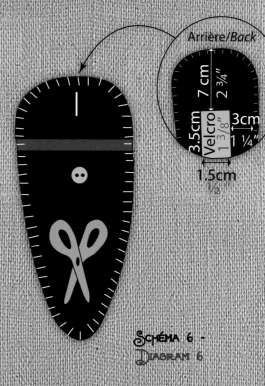

Arrière/*Back*

7 cm
2 ³/₄''

3.5cm
Velcro
1 ³/₈''

3cm
1 ¼''

1.5cm
½''

SCHÉMA 4 -
DIAGRAM 4

SCHÉMA 5 -
DIAGRAM 5

SCHÉMA 6 -
DIAGRAM 6

For the scissors kit:

Diagram 4: On the right side of the B piece, heat fuse the scissors in the numerical order indicated on the templates. Blanket stitch them with beige floss. Embroider the screw of the scissors in straight stitch with black floss. Centre and stitch a button on the top of the piece.

Diagram 5: On the wrong side of the D piece position the wrong side of the B piece on the bottom and that of the C piece on the top (reference marks together).

Diagram 6: Blanket stitch the two layers together all around the edge with ecru floss. Make an incision in the two layers on the reference marks of pieces C and D and with black floss embroider a buttonhole of 1.5 cm (½") through the two layers. At the back of the case, stitch a Velcro piece measuring 3.5 cm (1 ³⁄₈"), referring to the diagram.

For the flap:

Diagram 7: On the right side of one black E piece, on the rounded part, centre and stitch one button. On the right side of one beige E piece, on the rounded part, centre and stitch a Velcro piece measuring 2 cm (¾"). Layer these two E pieces with wrong sides together and blanket stitch all around with ecru floss.
Make four identical button tabs.

Diagram 8: On the wrong side of the F rectangle, referring to the diagram, position and stitch the four button tabs, with the Velcro pieces toward you.

Diagram 9: On the right side of the G rectangle, referring to the diagram, position and stitch two Velcro pieces measuring 3.5 cm (1 ³⁄₈") and glue the magnet. On the wrong side of the G rectangle, centre the rigid cardboard or wood board. Turn and glue the fabric seam allowances of 2 cm (¾") to the cardboard.
Layer and glue this G rectangle with the F rectangle, wrong sides together and edge to edge.

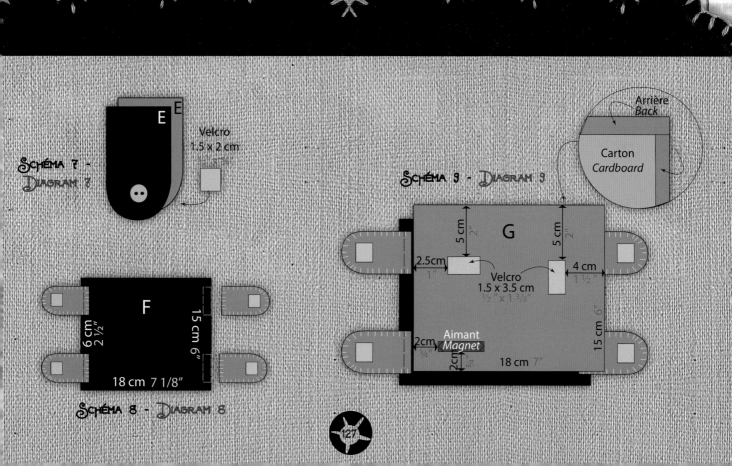

Pour le sac :

Schéma 10 : Sur l'endroit de la pièce H, thermo-collez les différents éléments à «bords francs» dans l'ordre numérique des gabarits. Réalisez un point de feston autour de chaque pièce avec un fil à broder de la même couleur que les tissus.

Brodez :

• Avec le fil écru :
- les épingles et le texte, au point arrière.

• Avec le fil marron :
- les quartiers de la tomate, au point arrière.

• Avec le fil vert :
- la queue de la tomate, au point de bouclette.

• Avec le fil noir :
- la vis des ciseaux et le trou de la bobine au point lancé.

• Avec le fil bleu :
- les traits de la bobine.

Schéma 11 : Sur l'endroit d'un rectangle I de lainage beige, centrez et thermo-collez la pièce H. Festonnez-la avec un fil à broder écru. Positionnez (en vous référant au schéma) et cousez 4 morceaux de Velcro de 2 cm (¾").

Schéma 12 : Superposez les deux rectangles I de lainage beige endroit contre endroit et bord à bord. Faites une couture à 7 mm (¼") du bord sur trois côtés. Laissez ouvert un petit côté. Retournez l'ouvrage sur l'endroit. Faites la même opération avec les deux rectangles I de tissu de doublure sans retourner l'ouvrage sur l'endroit.

Schéma 13 : Insérez le sac de doublure dans le sac de lainage, envers contre envers. Faites un rentré de 7 mm (¼") en haut de l'ouvrage en prenant les deux épaisseurs. Festonnez le tour de l'ouverture avec un fil à broder beige.

Schéma 14 : Sur le rabat, par les velcros, fixez la pelote à épingles et l'étui à ciseaux à leur place respective, en vous référant au schéma. Superposez les deux velcros du sac (côté ouverture) sur les deux velcros des pattes de boutonnage E du rabat (côté ciseaux). Rabattez cet assemblage sur le corps du sac et faites adhérer les deux velcros restants des pattes de boutonnage E avec les deux velcros restants du sac.

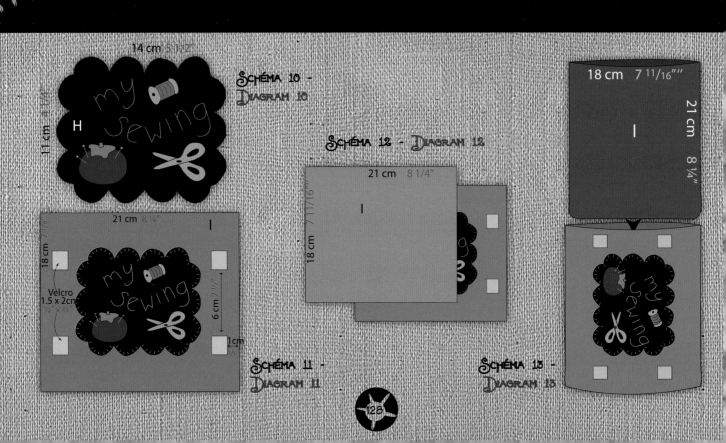

For the bag:

Diagram 10: On the right side of the H piece, heat fuse the various elements using the raw edge technique, in the numerical order indicated on the templates. Blanket stitch around each piece with floss in the same colour as the fabrics.
Embroider as follows:
• With the ecru floss:
-the pins and the text, in backstitch
• With the chestnut brown floss:
-the tomato sections, in backstitch
• With the green floss:
-the tomato stem, in lazy daisy stitch
• With the black floss:
-the scissors screw and the spool hole in straight stitch
• With the blue floss:
-the lines on the spool

Diagram 11: On the right side of one I rectangle in beige wool, centre and heat fuse the H piece. Blanket stitch with ecru floss. Referring to the diagram, position and stitch four Velcro pieces measuring 2 cm (¾").

Diagram 12: Layer the two beige wool I rectangles with right sides together and edge to edge. Make a seam at 7 mm (¼") from the edge on three sides. Leave one small side open. Turn the project to the right side. Repeat the same steps with the two I rectangles of lining fabric, without turning the project to the right side.

Diagram 13: Insert the lining bag into the wool bag, wrong sides together. Make a turn-under allowance of 7 mm (¼") on the project top, incorporating the two layers. Blanket stitch around the opening with beige floss.

Diagram 14: On the flap, with the Velcro pieces, affix the pincushion and the scissors kit in their respective positions, referring to the diagram. Layer the two Velcro pieces of the bag (opening side) on the two Velcro pieces of the E button tabs of the flap (scissors side). Turn this unit to the main part of the bag and attach the two remaining E button tab Velcro pieces with the two remaining bag Velcro pieces.

Schéma 14 - Diagram 14

GABARITS
À
TAILLE
RÉELLE

FULL SIZE
TEMPLATES

my
Sewing

H

6
5

2
1

4
3

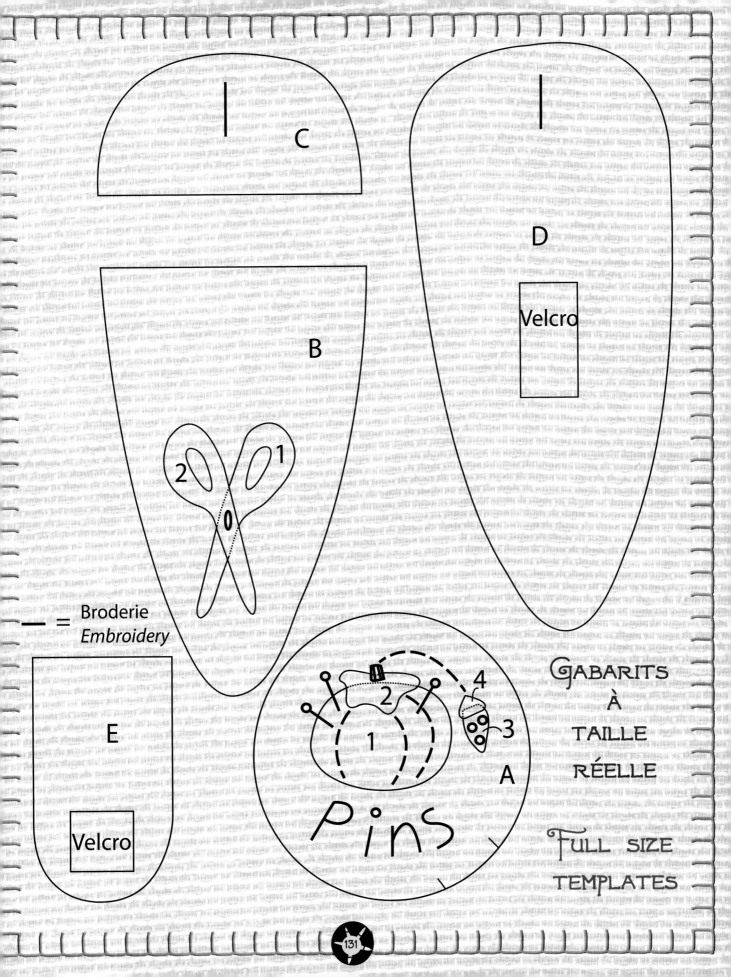

C

D

Velcro

B

2   1

0

Broderie
Embroidery

E

Velcro

Pins

1   2   4   3

A

GABARITS
À
TAILLE
RÉELLE

FULL SIZE
TEMPLATES

-Lin tissé irrégulier marron pour l'extérieur du
  sac : 110 x 220 cm (44" x 88")
-Lin bleu imprimé à grandes fleurs pour la
  doublure du sac et la doublure de la poche :
  110 x 250 cm (44" x 2 ¾ yd)
-Tissu damassé noir pour l'extérieur de la poche :
  15 x 20 cm (6" x 8")
-Lainage noir uni pour la patte de boutonnage :
  15 x 20 cm (6" x 8")
-Lainage vert uni pour les feuilles et les tiges :
  15 x 20 cm (6" x 8")
-Lainage écru uni pour les fleurs : 10 x 10 cm
  (4" x 4")

-Lainage marron uni pour
  le centre des fleurs :
  chute
-Sangle en coton noir de
  4 cm (1 ½") de large : 40 cm
  (16")
-Coton à broder perlé 5 brins :
  écru, noir
-Coton à broder 2 brins : vert,
  écru, noir
-1 bouton fantaisie marron de
  4.5 cm (2") de diamètre
-Voile thermocollant double face

GRAND SAC À FLEURS
LARGE FLOWER BAG

Dimensions de l'ouvrage : 38 x 60 cm (15" x 24")
Project dimensions: 38 x 60 cm (15" x 24")

INTERMÉDIAIRE - INTERMEDIATE

MATERIALS:
Chestnut brown linen with an irregular weave for
  the bag exterior: 110 x 220 cm (44" x 88")
Blue linen with large flower print for the bag lining
  and the pocket lining: 110 x 250 cm (44" x 2 ¾ yd)
Black damask fabric for the pocket exterior:
  15 x 20 cm (6" x 8")
Black solid felted wool for the button flap:
  15 x 20 cm (6" x 8")
Green solid felted wool for the leaves and stems:
  15 x 20 cm (6" x 8")
Ecru solid felted wool for the flowers: 10 x 10 cm

(4" x 4")
Chestnut brown solid felted wool for the flower
  centres: scrap
Black cotton strap 4 cm (1 ½") wide: 40 cm (16")
Pearl cotton embroidery floss (5 strands): ecru
  and black
Embroidery floss (2 strands): green, ecru and
  black
One decorative button in chestnut brown 4.5 cm
  (2") in diameter
Double-sided fusible web

Coupe :

Pour le sac et la poche, il sera nécessaire d'ajouter une marge de couture de 7 mm (¼") arrondie à 15 mm (½") pour les deux. Les appliqués et la patte de boutonnage sont réalisés à « bords francs » festonnés. N'ajoutez pas de marge de couture à leurs gabarits. Chacun de ces éléments est reporté sur le voile thermocollant double face, côté lisse (vérifiez le sens du dessin). Découpez grossièrement autour de chaque motif tracé. A l'aide du fer à repasser (chaud et vapeur), collez chaque partie de dessin sur les tissus adéquats. Découpez ensuite sur le trait.

• Dans le lin tissé irrégulier marron pour l'extérieur du sac :
  - 2 pièces A (marquez les repères sur l'endroit du tissu)
• Dans le lin bleu imprimé à grandes fleurs pour la doublure du sac et de la poche :
  - 2 pièces A (marquez les repères sur l'endroit du tissu) et 1 rectangle C 23 x 24 cm (9" x 9 ½")
• Dans le tissu damassé noir pour l'extérieur de la poche :
  - 1 rectangle C 23 x 24 cm (9" x 9 ½")

• Dans le lainage noir pour la patte de boutonnage :
  - 2 pièces B (marquez la boutonnière)
• Dans le lainage vert uni :
  - 3 tiges et 6 feuilles
• Dans le lainage écru uni :
  - 3 fleurs
• Dans le lainage marron uni :
  - 3 centres de fleur

Réalisation :

Pour le coussin à épingles :

Schémas 1 et 2 : Pour la poche : sur le rectangle C damassé noir de la poche, appliquez les trois fleurs à «bords francs» en suivant l'ordre numérique des gabarits. Otez la pellicule de papier du voile thermocollant doublant chaque élément. Fixez vos pièces au fer à repasser (chaud et vapeur). Réalisez un point de feston serré autour de chacune avec un fil à broder (2 brins) de la même couleur que les lainages. Brodez avec un fil perlé noir (5 brins) au point lancé le centre des fleurs. Brodez avec un fil perlé écru (5 brins) au point de devant le centre des tiges et des

Cutting:

A seam allowance of 7 mm (¼"), rounded to 15 mm (½") for two seams must be added all around the template for the bag and the pocket. The raw edge technique is used for the appliqués and the button flap. Do not add seam allowance to their templates. Each design element is transferred to the smooth side of the double-sided fusible web (check that it is the correct way). Loosely cut around each marked piece. With a hot iron and using steam, adhere each piece to fabric of sufficient size. Then cut on the marking.

• From the chestnut brown irregular weave linen for the bag exterior, cut two A pieces (place reference marks on the fabric right side).
• From the blue linen with large flower print for the lining of the bag and pocket, cut the following:
two A pieces (place reference marks on the fabric right side)
one 23 x 24 cm (9" x 9 ½") C rectangle
• From the black damask fabric for the pocket exterior, cut one 23 x 24 cm (9" x 9 ½") C rectangle.

• From the black felted wool for the button flap, cut two B pieces (mark the buttonhole).
• From the green solid felted wool, cut three stems and six leaves.
• From the ecru solid felted wool, cut three flowers.
• From the chestnut brown solid felted wool, cut three flower centres.

Making the bag:

Diagrams 1 and 2: For the pocket, appliqué the three flowers using the raw edge technique on the black damask pocket rectangle, following the numerical order of the templates. Remove the paper film from the fusible web lining each piece. Adhere the pieces with a hot iron, using steam. Sew with narrow blanket stitch around each piece with two strands of embroidery floss in the same colour as the felted wool. Embroider the flower centres with five strands of black pearl cotton in straight stitch. Embroider with five strands of ecru pearl cotton the stem and leaf centres in running stitch, the petals in straight stitch

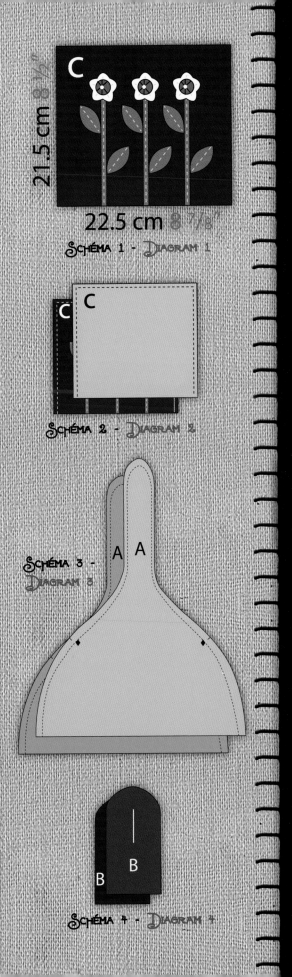

21.5 cm 8½"

22.5 cm 8 7/8"

Schéma 1 - Diagram 1

Schéma 2 - Diagram 2

Schéma 3 - Diagram 3

Schéma 4 - Diagram 4

feuilles, au point lancé les pétales et 1 point de nœud colonial au cœur des fleurs.

Les broderies apparaissent en gras sur les gabarits

Superposez le rectangle C (avec les appliqués) avec le rectangle C bleu endroit contre endroit et bord à bord. Cousez les deux épaisseurs à 7 mm (¼") du bord en laissant le bas ouvert. Retournez le travail sur l'endroit. Repassez.

Schéma 3 : Pour le corps du sac, superposez une pièce A marron et une pièce A bleue de doublure, endroit contre endroit et bord à bord. Cousez les deux épaisseurs à 7 mm (¼") du bord en laissant le bas ouvert. Crantez les arrondis et retournez le travail sur l'endroit. Repassez. Faites une deuxième fois l'opération.

Schéma 4 : Pour la patte de boutonnage, superposez les deux pièces B, endroit contre endroit et assemblez-les par un point de feston avec le fil à broder perlé écru (5 brins). Faites une boutonnière de 4.5 cm (2") et brodez-la au point de feston serré avec le fil noir perlé (5 brins).

and one colonial knot stitch at the centre of the flowers.

Embroidery is shown in bold on the templates. Layer the C black damask rectangle (with the appliqués) with the blue C rectangle, right sides together and edge to edge. Join these two layers at 7 mm (¼") from the edge, leaving the bottom open. Turn the project to the right side and press.

Diagram 3: For the main part of the bag, layer one chestnut brown A piece and one blue A lining piece, right sides together and edge to edge. Join the two layers at 7 mm (¼") from the edge, leaving the bottom open. Clip the corners and turn the project to the right side. Press. Repeat these steps a second time.

Diagram 4: For the button flap, layer the two B pieces, right sides together, and join with a blanket stitch using five strands of the ecru pearl cotton. Make a buttonhole of 4.5 cm (2") and embroider it in narrow blanket stitch with five strands of the black pearl cotton.

Schéma 5 : Pour constituer le dos du sac, croisez les deux parties du sac l'une sur l'autre, endroit vers soi, de façon à ce que les repères se superposent et que le bas des deux morceaux soit sur la même ligne. Cousez la partie centrale commune au 2 parties (4 épaisseurs) à 7 mm (¼") du bord (sauf le bas). Appliquez la patte de boutonnage sur le sac à points cachés (fil noir), en vous référant au schéma.

Schéma 6 : Pour constituer le devant du sac, ramenez les deux bords libres du sac de façon à les superposer jusqu'aux repères (comme schéma 3). Cousez la partie centrale commune au 2 parties (4 épaisseurs) à 7 mm (¼") du bord (sauf le bas). Retournez le sac sur l'endroit.

Schéma 7 : La patte de boutonnage étant sur l'arrière du sac, appliquez la poche sur le devant, avec un fil à broder perlé écru (5 brins) au point de feston. Laissez libre le haut et le bas de la poche.
A 1 cm (³/₈") du bord inférieur, cousez toutes les épaisseurs sur toute la largeur du sac.
Au point de feston avec un fil à broder perlé noir (5 brins), appliquez la sangle de coton noir en bas du sac, à cheval sur le devant et l'arrière afin de cacher la couture de fond de sac tout en rentrant les extrémités de la sangle pour une finition propre, Cousez le bouton fantaisie au dessus de la poche. Nouez les deux «oreilles» pour faire l'anse.

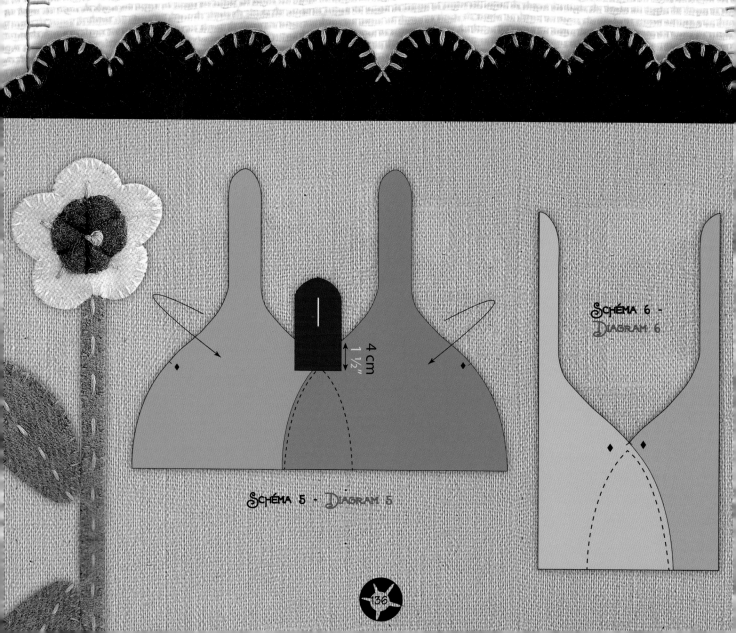

4 cm
1 ½"

SCHÉMA 6 -
DIAGRAM 6

SCHÉMA 5 - DIAGRAM 5

Diagram 5: To make the bag back, fold the two parts of the bag over each other, right side toward you, so that the marks coincide and the bottom of the two pieces is on the same line. Stitch the centre part that is common to both (four layers) at 7 mm (¼") from the edge, except for the bottom. Appliqué the button flap to the bag with hidden stitches, using black thread; refer to the diagram.

Diagram 6: To make the bag front, bring together up to the marks the two free edges of the bag so that they match (as in Diagram 3). Stitch the centre part that is common to both (four layers) at 7 mm (¼") from the edge, except for the bottom. Turn the bag to the right side.

Diagram 7: With the button flap on the bag back, appliqué the pocket on the front in blanket stitch, using five strands of ecru pearl cotton. Leave the pocket top and bottom unstitched. At 1 cm (⅜") from the lower edge, stitch all the layers together along the entire bag width. In blanket stitch and with five strands of black pearl cotton, appliqué the black cotton strip to the bag bottom, extending over the front and the back so as to hide the seam at the bag bottom, turning under the strap ends for a neat finish. Stitch the decorative button above the pocket. Knot the two ends to make the handle.

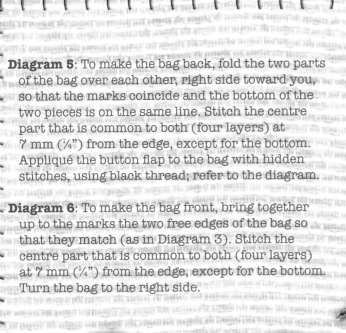

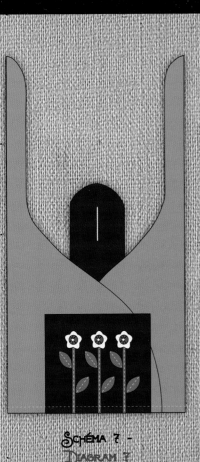

Schéma 7 -
Diagram 7

Les Gabarits
à taille
réelle se
trouvent
sur l'encart
patrons

Full size
templates
can be
found
on pattern

137

Fournitures :
- Tissu rouille à fines rayures pour la pochette : 25 x 30 cm
  (10" x 12")
- Tissu noir uni pour la doublure de la pochette : 25 x 30 cm
  (10" x 12")
- Lainage marron foncé uni pour le dessous de l'étoile et les 3
  pièces B (dentelles) : 10 x 15 cm (4" x 6")
- Lainage moutarde uni pour l'étoile : 10 x 12 cm (4" x 4¾")
- Lainage orangé imprimé pour le rond sur l'étoile : chute
- Fil à broder 2 brins : noir
- Cordelière noire de 0.5 cm (⅛") de diamètre : 80 cm (32")
- Voile thermocollant double face
- Molleton : 25 x 30 cm (10" x 12")

La Pochette de Portable Étoile
Star Cellular Phone Case

Dimensions de l'ouvrage : 9 x 13 cm (3 ½" x 5")
Project dimensions: 9 x 13 cm (3 ½" x 5")

Débutant - Beginner

Materials:
Rust-coloured fabric with narrow stripes for the
  case: 25 x 30 cm (10" x 12")
Black solid fabric for the case lining: 25 x 30 cm
  (10" x 12")
Dark chestnut brown solid felted wool for the star
  background and the three B pieces (border):
  10 x 15 cm (4" x 6")

Mustard solid felted wool for the star: 10 x 12 cm
  (4" x 4¾")
Orange print felted wool for the star circle: scrap
Embroidery floss (2 strands): black
Black cord 0.5 cm (⅛") in diameter: 80 cm (32")
Double-sided fusible web
Batting: 25 x 30 cm (10" x 12")

Coupe :

Les mesures données pour la coupe des rectangles A, C et du molleton incluent une marge de couture de 7 mm (¼") arrondies à 15 mm (½") pour les deux. Au besoin faites les ajustements nécessaires. Les appliqués sont réalisés à «bords francs» festonnés. N'ajoutez pas de marge de couture à leurs gabarits. Chacun de ces éléments est reporté sur le voile thermocollant double face, côté lisse (vérifiez le sens du dessin). Découpez grossièrement autour de chaque motif tracé. A l'aide du fer à repasser (chaud et vapeur), collez chaque partie de dessin sur les tissus adéquats. Découpez ensuite sur le trait.

- Dans le tissu rouille à fines rayures :
  - 2 rectangles A de 10.5 x 14.5 cm (4" x 5 ½")
- Dans le tissu noir uni :
  - 2 rectangles C de 10.5 x 13 cm (4" x 5")
- Dans le lainage marron foncé uni :
  - Le dessous de l'étoile et 3 pièces B ou dentelles (la marge en haut du gabarit sera prise dans la couture finale de la pochette)

- Dans le lainage moutarde uni :
  - L'étoile
- Dans le lainage orangé imprimé :
  - Le rond sur l'étoile
- Dans le molleton :
  - 2 rectangles C de 10.5 x13cm (4" x 5")

Réalisation :

Schémas 1 et 2 : Sur un rectangle A, appliquez l'étoile à «bords francs» en suivant l'ordre numérique des gabarits. Otez la pellicule de papier du voile thermocollant doublant chaque élément. Fixez vos pièces au fer à repasser (chaud et vapeur). Réalisez un point de feston autour de chacune avec un fil à broder noir (2 brins).
Les broderies apparaissent en gras sur les gabarits.
Poursuivez ensuite le montage de la pochette en suivant les schémas de _la Pochette Portable «Papillon»_ (voir page 64).

Cutting:

The measurements given for cutting the A and C rectangles and the batting include a seam allowance of 7 mm (¼"), rounded to 15 mm (½") for two seams. Make any necessary changes. The raw edge technique is used for the appliqués. Do not add seam allowance to their templates. Each design element is transferred to the smooth side of the double-sided fusible web (check that it is the correct way). Loosely cut around each marked piece. With a hot iron and using steam, adhere each piece to fabric of sufficient size. Then cut on the marking.

- From the rust-coloured fabric with narrow stripes, cut two 10.5 x 14.5 cm (4" x 5 ½") A rectangles.
- From the black solid fabric, cut two 10.5 x 13 cm (4" x 5") C rectangles.
- From the dark chestnut brown solid felted wool, cut the star background and the three B pieces or border (the seam allowance at the top of the

template will be enclosed in the final seam of the case).
- From the mustard solid felted wool, cut the star.
- From the orange print felted wool, cut the star circle.
- From the batting, cut two 10.5 x 13 cm (4" x 5") C rectangles.

Making the case:

Diagrams 1 and 2: On one A rectangle, appliqué the star using the raw edge technique, following the numerical order of the templates. Remove the paper film from the fusible web lining each piece. Adhere your pieces with a hot iron, using steam. Sew around each piece in blanket stitch using two strands of black embroidery floss. Embroidery is shown in bold on the templates.

Continue assembling the case, referring to the diagrams for the _Butterfly Cellular Phone Case_ (see page 64).

9 cm 3 ½"

13 cm 5"

A

Schéma 1 · Diagram 1

13 cm 5"

B

9 cm 3 ½"

Schéma 2 · Diagram 2

B

1
2
3

Gabarits à 100%.
Full size
templates

141

Fournitures :
- Velours noir pour le sac : 35 x 45 cm
  (13 ¾" x 18")
- Lainage noir uni pour l'arrière des
  languettes : 10 x 20 cm (4" x 8")
- Lainage rouge foncé pour les languettes :
  10 x 20 cm (4" x 8")
- Tissu marron à fines rayures pour le
  bonnet : 10 x 10 cm (4" x 4")
- Tissu blanc à fines rayures écrues pour le
  pompon, le bord du bonnet et le bord des
  manches : chute
- Tissu chair pour le visage : 4 x 5 cm
  (1 ½" x 2")
- Tissu rouge foncé à fines rayures pour le
  vêtement du père Noël : 15 x 20 cm
  (6" x 8")
- Tissu vert pour les branches de sapin :
  chute
- Tissu noir pour les gants : chute

Materials :
Black velvet for the case: 35 x 45 cm
  (14" x 18")
Black solid felted wool for the tab backs:
  10 x 20 cm (4" x 8")
Dark red felted wool for the tabs: 10 x 20 cm
  (4" x 8")
Chestnut brown fabric with narrow stripes
  for the hat: 10 x 10 cm (4" x 4")
White fabric with narrow ecru stripes for
  the pompom, the hat edge and the sleeve
  edges: scrap

- Assortiment de tissus noir à petits imprimés pour le dessus des languettes : chutes
- Coton gratté rouge foncé à rayures noires pour la doublure du sac A : 35 x 45 cm (13 ¾" x 18")
- Coton gratté écru à fines rayures ton sur ton pour la barbe : 10 x 15 cm (4" x 6")
- Coton gratté blanc pour la neige : 12 x 20 cm (4 ¾" x 8")
- Coton gratté rouge à petits carreaux pour la cheminée : 12 x 20 cm (4 ¾" x 8")
- Fils à broder 5 brins : marron, écru, vert, rouge, rose, noir
- Galon fantaisie noir de 1.5 cm (½") de large : 80 cm (31 ½")
- 5 boutons noirs fantaisies dépareillés de 1.5 à 2 cm (½" to ¾") de diamètre
- Molleton : 35 x 45 cm (13 ¾" x 18")
- Voile thermocollant double face

La pochette Père Noël
Santa Claus Case

Dimensions de l'ouvrage : 19 x 36 cm (7 ½" x 14 ¼")
Project dimensions: 19 x 36 cm (7 ½" x 14 ¼")

Débutant - Beginner

Flesh tone fabric for the face: 4 x 5 cm (1 ½" x 2")
Dark red fabric with narrow stripes for Santa's clothing: 15 x 20 cm (6" x 8")
Green fabric for the tree branches: scrap
Black fabric for the gloves: scrap
Assortment of black fabrics with small prints for the tab tops: scraps
Dark red brushed cotton with black stripes for the A case lining: 35 x 45 cm (14" x 18")
Ecru brushed cotton with narrow tone-on-tone stripes for the beard: 10 x 15 cm (4" x 6")

White brushed cotton for the snow: 12 x 20 cm (5" x 8")
Red brushed cotton with small checks for the chimney: 12 x 20 cm (5" x 8")
Embroidery floss (6 strands): chestnut brown, ecru, green, red, pink and black
Decorative black braid 1.5 cm (½") wide 80 cm (31 ½")
Five assorted decorative buttons from 1.5 to 2 cm (½" to ¾") wide
Batting 35 x 45 cm (14" x 18")
Double-sided fusible web

Coupe :

Pour les pièces A, il sera nécessaire d'ajouter des marges de couture de 7 mm (¼'') arrondies à 15 mm (½'') pour les deux.

Les appliqués et les languettes sont réalisés à «bords francs» festonnés. N'ajoutez pas de marge de couture à leur gabarit. Chacun de ces éléments est reporté sur le voile thermocollant double face, côté lisse (vérifiez le sens du dessin). Découpez grossièrement autour de chaque motif tracé. A l'aide du fer à repasser (chaud et vapeur), collez chaque partie de dessin sur les tissus adéquats. Découpez ensuite sur le trait.

- Dans le velours noir pour le sac :
  - 2 pièces A
- Dans le lainage noir uni pour l'arrière des languettes :
  - 3 pièces B (la marge en haut du gabarit sera prise dans la couture finale de la pochette)
- Dans le lainage rouge foncé pour les languettes :
  - 3 pièces B (la marge en haut du gabarit sera prise dans la couture finale de la pochette)
- Dans le tissu marron à fines rayures :
  - Le bonnet
- Dans le tissu blanc à fines rayures écrues :
  - Le pompon, le bord du bonnet et le bord des manches
- Dans le tissu rouge foncé à fines rayures :
  - Le vêtement du père Noël
- Dans le tissu vert :
  - Les branches de sapin
- Dans le tissu noir :
  - 1 gant et 1 gant en miroir (pièce inversée)
- Dans l'assortiment de tissus noir à petits imprimés :
  - 3 languettes C
- Dans le coton gratté rouge à petits carreaux :
  - La cheminée (la marge en bas du gabarit sera prise dans la couture finale de la pochette)
- Dans le coton gratté rouge foncé à rayures noires pour la doublure du sac :
  - 2 pièces A
- Dans le coton gratté écru à fines rayures ton sur ton :
  - La barbe
- Dans le coton gratté blanc :
  - La neige
- Dans le molleton :
  - 2 pièces A

Réalisation :

Schémas 1 et 2 : Sur l'endroit d'une pièce A de velours noir, appliquez le père Noël, le sapin et la cheminée (le bas de la cheminée bord à bord avec la pièce A) à «bords francs» en suivant l'ordre numérique des gabarits. Otez la pellicule de papier du voile thermocollant doublant chaque élément.

Cutting:

For the A pieces, add seam allowance of 7 mm (¼''), rounded to 15 mm (½'') for two seams.

The raw edge technique is used for the appliqués and the tabs. Do not add seam allowance to their templates. Each design element is transferred to the smooth side of the double-sided fusible web (check that it is the correct way). Loosely cut around each marked piece. With a hot iron and using steam, adhere each piece to fabric of sufficient size. Sew around each piece in blanket stitch, using two strands of black embroidery floss. Then cut around the marking.

- From the black velvet for the case, cut two A pieces.
- From the black solid felted wool for the tab backs, cut three B pieces (the seam allowance on the top of the template will be enclosed in the final seam of the case).
- From the dark red felted wool for the tabs, cut three B pieces (the seam allowance on the top of the template will be enclosed in the final seam of the case).
- From the chestnut brown fabric with narrow stripes, cut the hat.
- From the white fabric with narrow ecru stripes, cut the following:
  the pompom
  the hat edge
  the sleeve edges
- From the dark red fabric with narrow stripes, cut Santa's clothing.
- From the green fabric, cut the tree branches.
- From the black fabric, cut one mitt and one mitt mirror image (reversed piece).
- From the assortment of black fabrics with small prints, cut three C tabs.
- From the red brushed cotton with small checks, cut the chimney (the seam allowance on the bottom of the template will be enclosed in the final seam of the case).
- From the dark red brushed cotton with black stripes for the case lining, cut two A pieces.
- From the ecru brushed cotton with narrow tone-on-tone stripes, cut the beard.
- From the white brushed cotton, cut the snow.
- From the batting, cut two A pieces.

Making the case:

Diagrams 1 and 2: On the right side of one black velvet A piece, appliqué Santa Claus, the tree and the chimney (the bottom of the chimney edge to edge with the A piece), using the raw edge technique and following the numerical order of the templates. Remove the paper film from the fusible web lining each piece. Adhere your pieces with a hot iron, using

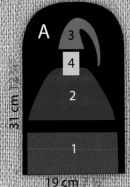

A

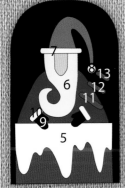

31 cm (12¼")

19 cm (7½")

Schéma 1 - Diagram 1

Schéma 2 - Diagram 2

Point de bouclette
Lazy daisy stitch

Schéma 3 - Diagram 3

Point de nœud colonial
Colonial knot stitch

Fixez vos pièces au fer à repasser (chaud et vapeur). Réalisez un point de feston autour de chacune avec un fil à broder noir 2 brins. Ne festonnez pas le visage, sa forme apparaîtra lorsque vous positionnerez la barbe.

Schéma 3 : Brodez :
• Avec le fil écru 5 brins :
 - La pointe de la barbe au point de tige.
 - Les sourcils du père Noël au point lancé
 - Le blanc des yeux et le centre des pommettes au point de nœud, la moustache au point de bouclette.
• Avec le fil vert 5 brins :
 - Les feuilles sur le bonnet du père Noël au point de bouclette.
• Avec le fil rouge 5 brins :
 - Les boules du sapin et la boule de houx sur le bonnet au point de nœud colonial
 - Les bras au point de tige
• Avec le fil marron 5 brins :
 - Le tronc du sapin au point de tige.
• Avec le fil marron 2 brins :
 - Le nez du père Noël au point arrière
• Avec le fil rose 2 brins :
 - Les pommettes du père Noël au point lancé.
• Avec le fil noir 2 brins :
 - La pupille des yeux au point de nœud.
Les broderies apparaissent en gras sur les gabarits.

steam. Sew around each piece in blanket stitch, with two strands of black embroidery floss. Do not stitch the face; its form will appear when you position the beard.

Diagram 3: Embroider as follows:
• With five strands of ecru floss:
- the tip of the beard in stem stitch
- Santa's eyebrows in straight stitch
- the whites of the eyes and centre of the cheeks in French knot stitch, and the mustache in lazy daisy stitch
• With five strands of green floss:
- the leaves on Santa's hat in lazy daisy stitch
• With five strands of red floss:
- the tree decorations and the holly on the hat in colonial knot stitch
- the arms in stem stitch
• With five strands of chestnut brown floss:
- the tree trunk in stem stitch
• With two strands of chestnut brown floss:
- Santa's nose in backstitch
• With two strands of pink floss:
- Santa's cheeks in straight stitch
• With two strands of black floss:
- the pupils of Santa's eyes in French knot stitch
Embroidery is shown in bold on the templates.

Réalisation (suite) :

Schéma 4 : Sur cet assemblage, posez une pièce A en coton gratté rouge foncé à rayures noires endroit contre endroit et une pièce A de molleton, bord à bord. Cousez tout autour à 7 mm (¼") du bord en laissant le bas ouvert. Crantez les arrondis et retournez sur l'endroit.

Schéma 5 : Pour le dos, répétez l'opération une seconde fois avec les pièces A restantes (velours, coton gratté et molleton).

Schéma 6 : Appliquez une languette C sur une languette B en lainage rouge foncé au point de feston avec un fil noir. Doublez cet assemblage avec une languette B noire. Festonnez tout autour (sauf le haut) avec un fil noir 5 brins. Faites l'opération 3 fois en tout.

Schéma 7 : Superposez le devant et le dos de la pochette endroit contre endroit et bord à bord en insérant entre les deux, les trois languettes en bas de l'ouvrage, le côté rond vers le haut (les languettes C vers le père Noël).
Faites une couture dans le bas en prenant toutes les épaisseurs.

Schéma 8 : Retournez le travail sur l'endroit. Fermez la pochette sur les côtés au point de feston avec un fil noir 5 brins sur 20 cm (8"). Insérez les extrémités du galon dans la pochette de chaque côté. Fixez-les avec un bouton cousu à travers toutes les épaisseurs (voir repères). Sur chaque languette, cousez un bouton sur chaque repère.

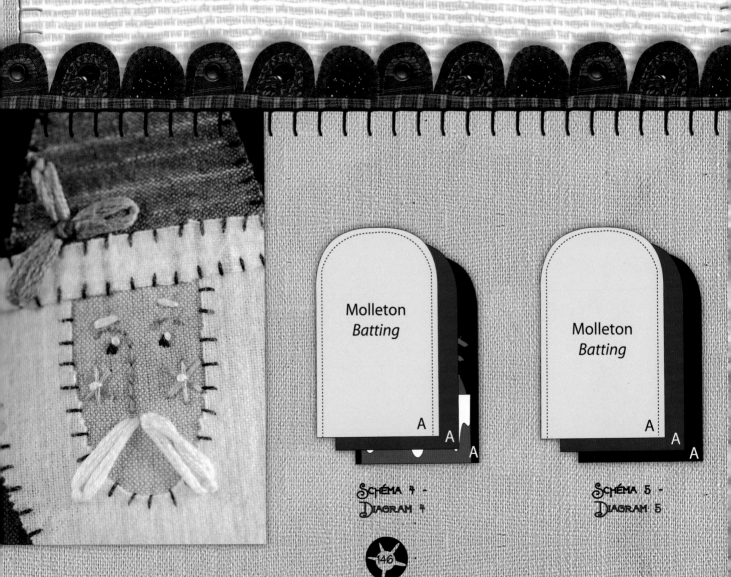

Molleton
Batting

A
A

Molleton
Batting

A
A

Schéma 4 –
Diagram 4

Schéma 5 –
Diagram 5

146

Making the case (continued):

Diagram 4: On this unit position one A piece in dark red brushed cotton with black stripes, right sides together, and one A batting piece, edge to edge. Stitch all around at 7 mm (¼") from the edge, leaving the lower edge open. Clip the curves and turn to the right side.

Diagram 5: For the back, repeat the above steps a second time with the remaining A pieces (velvet, brushed cotton and batting).

Diagram 6: Appliqué one C tab on one dark red felted wool B tab in blanket stitch with black floss. Line this unit with one black B tab. Sew all around (except for the top) in blanket stitch with five strands of black floss. Repeat these steps three times in total.

Diagram 7: Layer the front and back of the case, right sides together and edge to edge, inserting the three tabs between the front and back at the bottom of the project, with the rounded side toward the top (the C tabs toward Santa Claus). Seam the bottom, stitching through all layers.

Diagram 8: Turn the project to the right side. Close the case on the sides in blanket stitch with five strands of black floss for 20 cm (8"). Insert the braid ends in the case on each side. Affix the ends with a button stitched through all layers (see reference marks). Stitch a button on the reference mark of each tab.

Schéma 6 –
Diagram 6

B   B   B

Schéma 7 –
Diagram 7

36 cm 14"

19 cm 7 ½"

Couture sur 20 cm 8"
20 cm (8") seam

Schéma 8 – Diagram 8

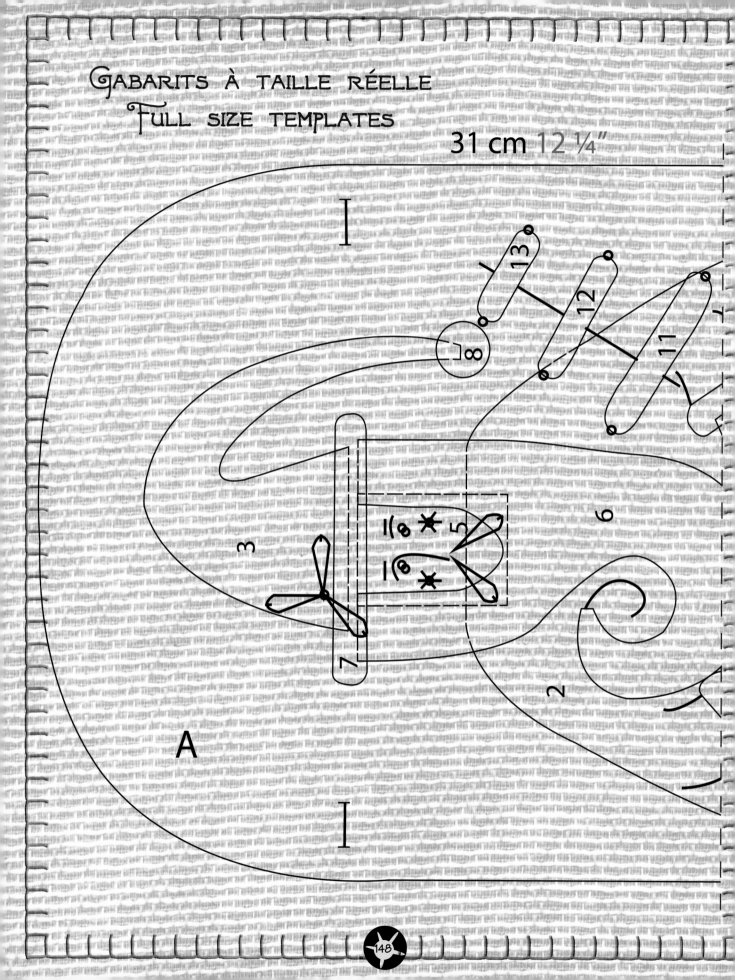

Gabarits à taille réelle
Full size templates

31 cm 12 ¼"

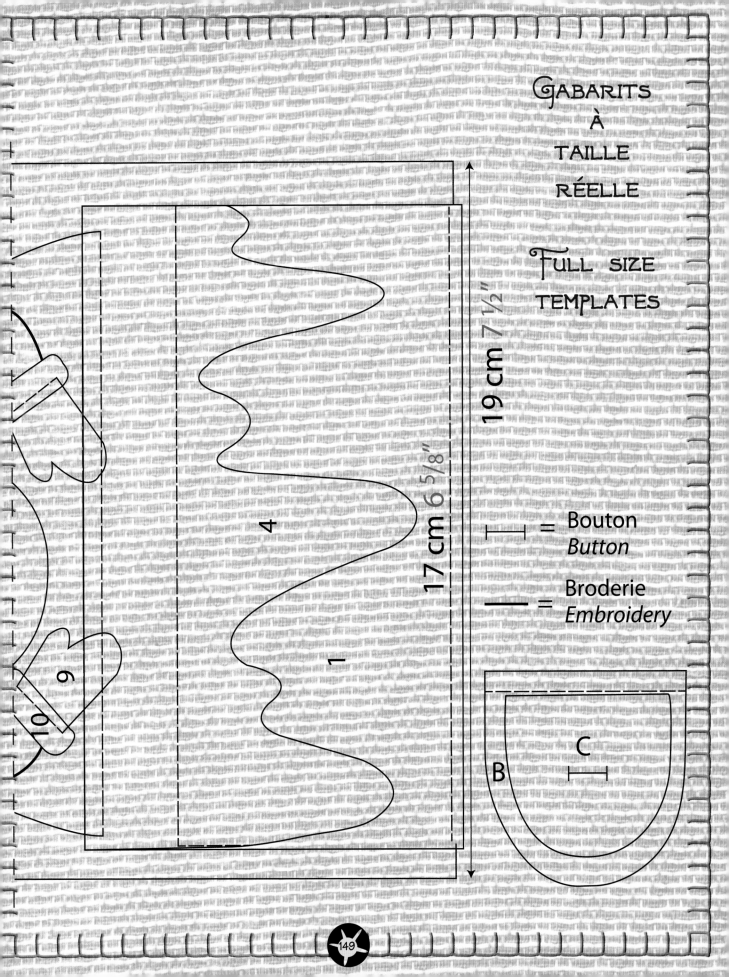

GABARITS
À
TAILLE
RÉELLE

FULL SIZE
TEMPLATES

19 cm 7 ½"

17 cm 6 5/8"

4

1

9

10

I = Bouton
Button

I = Broderie
Embroidery

B

C

Fournitures :

- Lainage uni noir pour la botte : 45 x 55 cm (18" x 22")
- Lainage rouge foncé uni pour l'habit du père Noël : 11 x 25 cm (4 ½" x 10")
- Lainage écru uni pour la barbe : 1 carré de 10 cm de côté (4")
- Lainage moutarde imprimé petits pieds de poule pour 2 étoiles : 1 carré de 10 cm (4") de côté
- Lainage moutarde uni pour une étoile : 1 carré de 5 cm (2") de côté
- Tissu de coton chair pour le visage : chute
- Coton à broder 5 brins : moutarde, écru, rouge foncé, noir
- Un fil de fer assez rigide : 30 cm (12")
- Voile thermocollant double face

La Botte Père Noël
Santa Claus Stocking

Dimensions de l'ouvrage :
22 x 40 cm (8 ½" x 15 ½")
Project dimensions :
22 x 40 cm (8 ½" x 15 ½")

Débutant - Beginner

Materials

Black solid felted wool for the stocking: 45 x 55 cm (18" x 22")
Dark red solid felted wool for the Santa Claus suit: 11 x 25 cm (4 ½" x 10")
Ecru solid felted wool for the beard: one 10 cm (4") square
Mustard felted wool with small houndstooth motif for two stars: one 10 cm (4") square

Mustard solid felted wool for one star: one 5 cm (2") square
Flesh tone cotton fabric for the face: scrap
Embroidery floss (5 strands): mustard, ecru, dark red and black
Metal wire, somewhat rigid: 30 cm (12")
Double-sided fusible web

Coupe :

Pour la botte et le visage du père Noël, il sera nécessaire d'ajouter une marge de couture de 7 mm (¼") tout autour des gabarits. Les appliqués (sauf le visage) sont réalisés à «bords francs» festonnés. N'ajoutez pas de marge de couture à leurs gabarits. Chacun de ces éléments est reporté sur le voile thermocollant double face, côté lisse (vérifiez le sens du dessin). Découpez grossièrement autour de chaque motif tracé. A l'aide du fer à repasser (chaud et vapeur), collez chaque partie de dessin sur les tissus adéquats. Découpez ensuite sur le trait.

- Dans le lainage noir :
  - 1 botte et une botte en miroir (pièce retournée)
- Dans le lainage rouge foncé :
  - Le corps du père Noël (la marge en bas de la pièce sera prise dans la couture finale de la botte)
- Dans le lainage écru :
  - La barbe du père Noël (n'oubliez pas d'évider la place du visage)
  - Le pompon du bonnet
  - Les trois boutons de l'habit
- Dans le lainage moutarde imprimé :
  - L'étoile du haut et l'étoile du bas
- Dans le lainage moutarde :
  - L'étoile du centre
- Dans le tissu chair :
  - Le visage

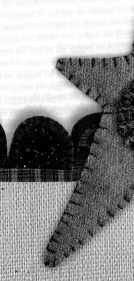

Cutting

A seam allowance of 7 mm (¼") must be added all around the templates for the stocking and Santa's face. The raw edge technique is used for the appliqués (except for the face). Do not add seam allowance to their templates. Each design element is transferred to the smooth side of the double-sided fusible web (check that it is the correct way). Loosely cut around each marked piece. With a hot iron and using steam, adhere each piece to fabric of sufficient size. Then cut on the marking.

From the black felted wool, cut one stocking and one mirror image stocking (reversed piece).

From the dark red felted wool, cut the Santa Claus body (the seam allowance on the bottom of the piece will be enclosed in the final seam of the stocking).

From the ecru felted wool, cut the following:
the beard for Santa Claus (remember to cut out the spot where the face will be placed)
the pompom on the hat
the three buttons on the suit
From the mustard print felted wool, cut the star for the top and the star for the bottom.
From the mustard felted wool, cut the star for the centre.
From the flesh tone fabric, cut the face.

Réalisation :

Schémas 1 et 2 : Sur l'endroit d'une botte, appliquez le père Noël et les étoiles à bords francs en suivant l'ordre numérique des gabarits : ôtez la pellicule de papier du voile thermocollant doublant chaque élément. Fixez vos pièces au fer à repasser (chaud et vapeur). Réalisez un point de feston autour de chacune avec un fil à broder (3 brins) de la même couleur que les lainages. Ne festonnez pas le visage, la marge de couture sera cachée par la barbe du père Noël.

Brodez :
-Le texte au point arrière avec le fil écru.
-Les petites étoiles et le scintillement des grandes au point lancé avec le fil moutarde 3 brins.
-Le centre des boutons de lainage au point lancé avec le fil noir (1 brin).

-Le nez du père Noël au point arrière avec le fil noir (1 brin).
-Les yeux au point de nœud avec le fil noir (1 brin).
-La bouche au point lancé avec le fil rouge foncé (3 brins).

Les broderies apparaissent en gras sur les gabarits

Schéma 3 : Superposez le dos et le devant de la botte endroit contre endroit et cousez les épaisseurs à 7 mm (¼") du bord en laissant le haut ouvert. Retournez le travail sur l'endroit.

Schéma 4 : Faites un rentré de 7 mm (¼") en haut de la botte en insérant le fil de fer dans le repli. Brodez le tour de l'ouverture de la botte au point de feston avec le fil moutarde (5 brins) en veillant à emprisonner le fil de fer dans la broderie.

Making the stocking:

Diagrams 1 and 2: On the right side of one stocking piece, appliqué Santa Claus and the stars using the raw edge technique, following the numerical order of the templates; remove the paper film from the fusible web lining each element. Adhere your pieces with a hot iron, using steam. Sew around each piece in blanket stitch using three strands of embroidery floss in the same colour as the felted wool. Do not stitch around the face; the seam allowance will be covered by Santa's beard.

Embroider as follows:
the wording in backstitch with the ecru floss
the small stars and the twinkling of the large stars in straight stitch with three strands of the mustard floss
the centre of the felted wool buttons in straight stitch with one strand of the black floss

Santa's nose in backstitch with one strand of the black floss
the eyes in French knot stitch with one strand of the black floss
the mouth in straight stitch with three strands of the dark red floss

Embroidery is shown in bold on the templates.

Diagram 3: Layer the back and the front of the stocking with right sides together and join the layers at 7 mm (¼") from the edge, leaving the top open. Turn the project to the right side.

Diagram 4: Make a turn-under allowance of 7 mm (¼") at the top of the stocking, inserting the metal wire in the fold. Sew all around the opening of the stocking in blanket stitch with five strands of the mustard floss, making sure to enclose the metal wire in the embroidery.

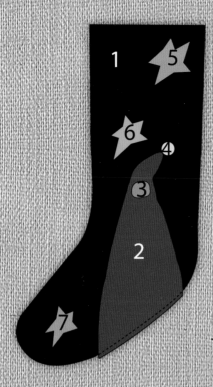

SCHÉMA 1 - DIAGRAM 1

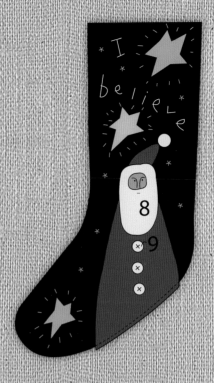

SCHÉMA 2 - DIAGRAM 2

Dos et devant endroit contre endroit
Back and front with right sides together

SCHÉMA 3 - DIAGRAM 3

40 cm 15 ½"

22 cm 8 ½"

SCHÉMA 4 - DIAGRAM 4

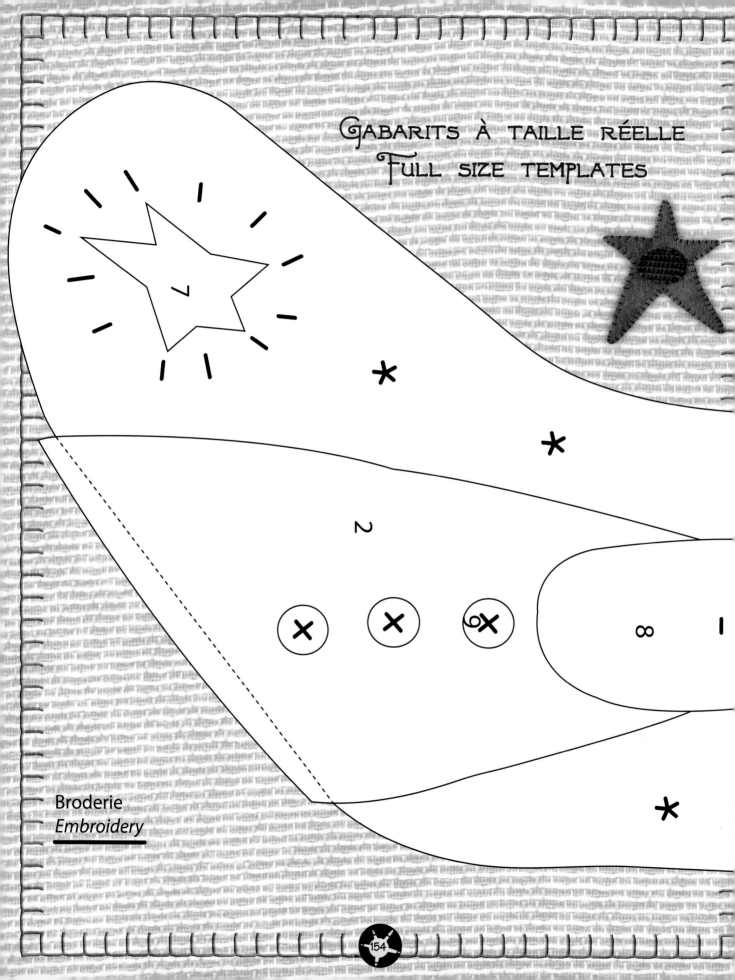

7

2

8

Broderie
Embroidery

Gabarits à taille réelle
Full size templates

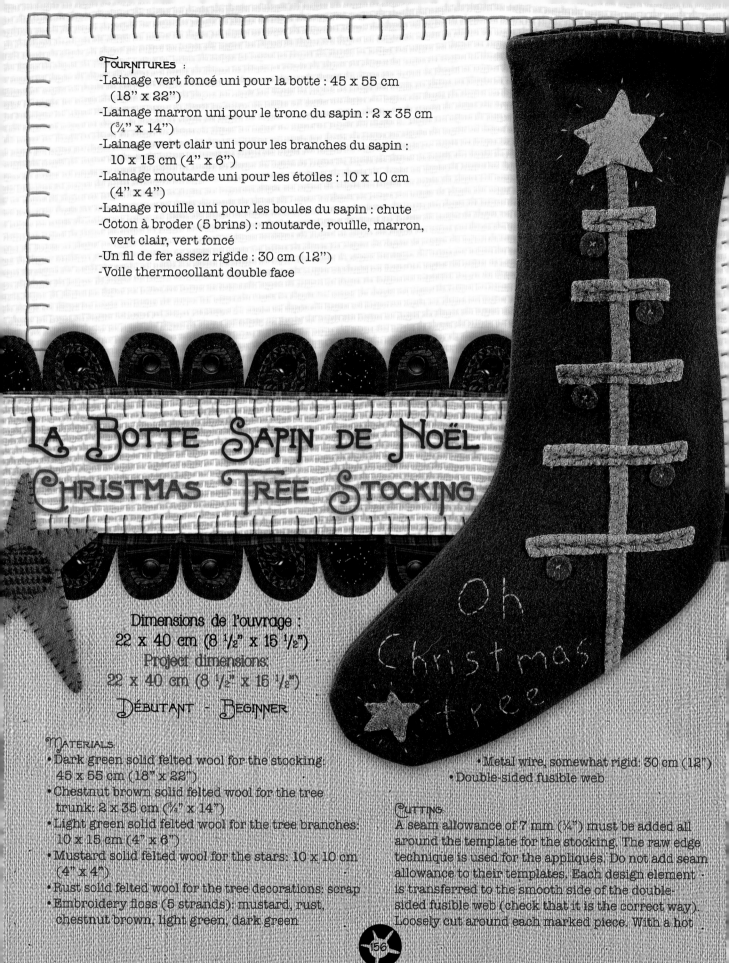

FOURNITURES :
-Lainage vert foncé uni pour la botte : 45 x 55 cm
    (18" x 22")
-Lainage marron uni pour le tronc du sapin : 2 x 35 cm
    (¾" x 14")
-Lainage vert clair uni pour les branches du sapin :
    10 x 15 cm (4" x 6")
-Lainage moutarde uni pour les étoiles : 10 x 10 cm
    (4" x 4")
-Lainage rouille uni pour les boules du sapin : chute
-Coton à broder (5 brins) : moutarde, rouille, marron,
    vert clair, vert foncé
-Un fil de fer assez rigide : 30 cm (12")
-Voile thermocollant double face

LA BOTTE SAPIN DE NOËL
CHRISTMAS TREE STOCKING

Dimensions de l'ouvrage :
22 x 40 cm (8 ½" x 15 ½")
Project dimensions:
22 x 40 cm (8 ½" x 15 ½")

DÉBUTANT - BEGINNER

MATERIALS:
• Dark green solid felted wool for the stocking:
  45 x 55 cm (18" x 22")
• Chestnut brown solid felted wool for the tree
  trunk: 2 x 35 cm (¾" x 14")
• Light green solid felted wool for the tree branches:
  10 x 15 cm (4" x 6")
• Mustard solid felted wool for the stars: 10 x 10 cm
  (4" x 4")
• Rust solid felted wool for the tree decorations: scrap
• Embroidery floss (5 strands): mustard, rust,
  chestnut brown, light green, dark green
• Metal wire, somewhat rigid: 30 cm (12")
• Double-sided fusible web

CUTTING:
A seam allowance of 7 mm (¼") must be added all
around the template for the stocking. The raw edge
technique is used for the appliqués. Do not add seam
allowance to their templates. Each design element
is transferred to the smooth side of the double-
sided fusible web (check that it is the correct way).
Loosely cut around each marked piece. With a hot

Coupe :

Pour la botte, il sera nécessaire d'ajouter une marge de couture de 7 mm (¼") tout autour du gabarit. Les appliqués sont réalisés à «bords francs» festonnés. . N'ajoutez pas de marge de couture à leurs gabarits. Chacun de ces éléments est reporté sur le voile thermocollant double face, côté lisse (vérifiez le sens du dessin). Découpez grossièrement autour de chaque motif tracé. A l'aide du fer à repasser (chaud et vapeur), collez chaque partie de dessin sur les tissus adéquats. Découpez ensuite sur le trait.

- Dans le lainage vert foncé uni :
  - Une botte et une botte en miroir (pièce retournée).
- Dans le lainage marron uni :
  - Le tronc du sapin (la marge en bas de la pièce sera prise dans la couture finale de la botte)
- Dans le lainage vert clair uni:
  - Les branches du sapin
- Dans le lainage moutarde uni :
  - Les étoiles
- Dans le lainage rouille uni :
  - Les boules du sapin

Réalisation :

Reportez-vous aux schémas de la botte «Père Noël» page 150.

Sur l'endroit d'une botte, appliquez le sapin de Noël, les boules et les étoiles à bords francs en suivant l'ordre numérique des gabarits : ôtez la pellicule de papier du voile thermocollant doublant chaque élément. Fixez vos pièces au fer à repasser (chaud et vapeur). Réalisez un point de feston autour de chacune avec un fil à broder 3 brins de la même couleur que les lainages.

Brodez le texte au point arrière avec le fil moutarde (3 brins), le scintillement des étoiles et le centre des boules au point lancé avec le fil moutarde (3 brins). Brodez un point d'épine sur chaque branche du sapin avec un fil à broder vert foncé, une branche dans un sens, une branche en sens inverse. Les broderies apparaissent en gras sur les gabarits.

Superposez le dos et le devant de la botte endroit contre endroit et cousez les épaisseurs à 7 mm (¼") du bord en laissant le haut ouvert. Retournez le travail sur l'endroit.

Faites un rentré de 7 mm (¼") en haut de la botte en insérant le fil de fer dans le repli. Brodez le tour au point de feston avec le fil rouille 5 brins en veillant à emprisonner le fil de fer dans la broderie.

iron and using steam, adhere each piece to fabric of sufficient size. Then cut on the marking.

- From the dark green solid felted wool, cut one stocking and one mirror image stocking (reversed piece).
- From the chestnut brown solid felted wool, cut the tree trunk (the seam allowance at the bottom of the piece will be enclosed in the final seam of the stocking).
- From the light green solid felted wool, cut the tree branches.
- From the mustard solid felted wool, cut the stars.
- From the rust solid felted wool, cut the tree decorations.

Making the stocking

Refer to the diagrams for the Santa Claus stocking.

On the right side of one stocking piece, appliqué the Christmas tree, the decorations and the stars using the raw edge technique, following the numerical order of the templates; remove the paper film from the fusible web lining each element. Adhere your pieces with a hot iron, using steam. Sew around each piece in blanket stitch using three strands of embroidery floss in the same colour as the felted wool. Embroider the wording in backstitch with three strands of the mustard floss, and the twinkling of the stars and the centres of the decorations in straight stitch with three strands of the mustard floss. Embroider in feather stitch on each tree branch with dark green embroidery floss, one branch in one direction and one branch in the reverse direction. Embroidery is shown in bold on the templates.

Layer the back and front of the stocking with right sides together and join the layers at 7 mm (¼") from the edge, leaving the top open. Turn the project to the right side.

Make a turn-under allowance of 7 mm (¼") on the top of the stocking, inserting the metal wire in the fold. Embroider all around in blanket stitch with five strands of the rust floss, making sure to enclose the metal wire in the embroidery.

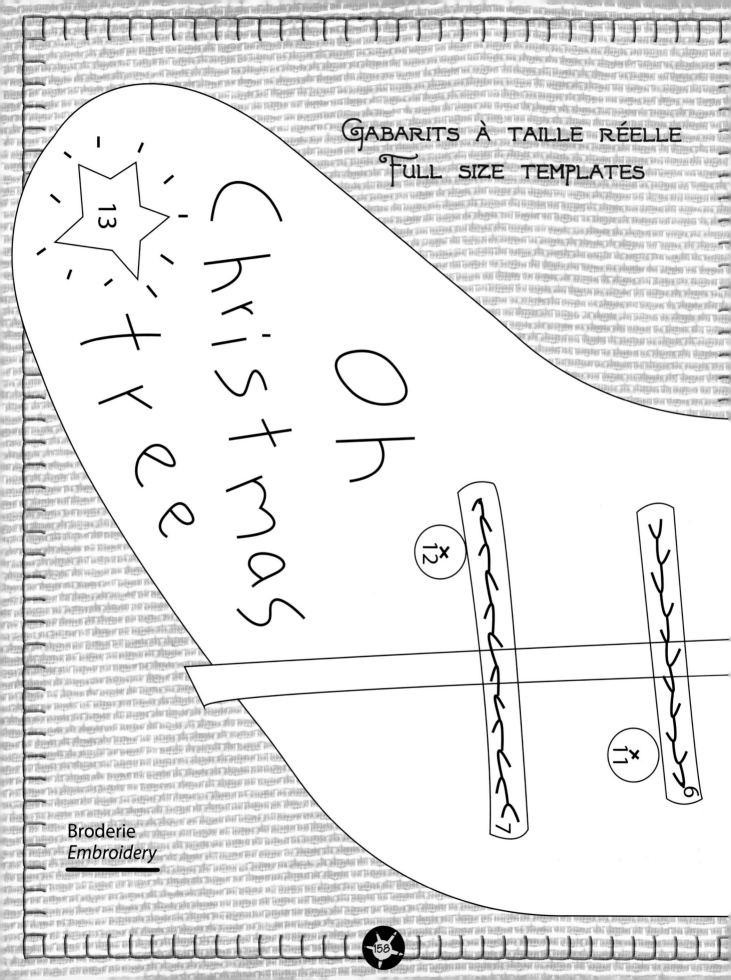

Gabarits à taille réelle
Full size templates

Oh Christmas tree

13

×12

×11

Broderie
Embroidery

Gabarits à taille réelle
Full size templates

Point d'épine
Feather stitch

Fournitures :
- Toile de lin beige unie : 30 x 70 cm (12" x 28")
- Toile de lin écrue unie pour le bonhomme de neige : 15 x 20 cm (6" x 8")
- Coton gratté bleu ciel à petits carreaux pour l'écharpe : 10 x 10 cm (4" x 4")
- Coton gratté orange uni pour le nez : chute
- Coton gratté marron foncé pour les yeux : chute
- Coton gratté marron clair uni pour le tronc du sapin : chute
- Coton gratté vert clair à petits carreaux pour les branches du sapin : chute
- Coton gratté rose uni pour les boules du sapin : chute
- Coton gratté beige faux uni pour la doublure de la pochette : 30 x 40 cm (12" x 16")
- Fil à broder 5 brins : beige, blanc, vert clair, rose, orange, marron, bleu ciel
- Un bouton à recouvrir de 3 cm (1 ¼") de diamètre
- Une cordelière beige de 1 cm (³/₈") de diamètre : 140 cm (1 ½ yd)
- Voile thermocollant double face

La Pochette Bonhomme de Neige
Snowman Case

Dimensions de l'ouvrage : 17.5 x 23 cm (7" x 9")

Project dimensions: 17.5 x 23 cm (7" x 9")

Débutant - Beginner

Materials:
Beige solid linen: 30 x 70 cm (12" x 28")
Ecru solid linen for the snowman: 15 x 20 cm (6" x 8")
Sky blue brushed cotton with small checks for the scarf: 10 x 10 cm (4" x 4")
Orange solid brushed cotton for the nose: scrap
Dark chestnut brown brushed cotton for the eyes: scrap
Light chestnut brown solid brushed cotton for the tree trunk: scrap
Light green brushed cotton with small checks for the tree branches: scrap
Pink solid brushed cotton for the tree decorations: scrap
Beige semi-solid brushed cotton for the case lining: 30 x 40 cm (12" x 16")
Embroidery floss (5 strands): beige, white, light green, pink, orange, chestnut brown and sky blue
One button to be covered 3 cm (1 ¼") in diameter
Beige cord 1 cm (³/₈") in diameter: 140 cm (1 ½ yd)
Double-sided fusible web

Coupe :

Tous les appliqués sont réalisés à «bords francs» festonnés. N'ajoutez pas de marge de couture à leur gabarit. Chacun de ces éléments est reporté sur le voile thermocollant double face, côté lisse (vérifiez le sens du dessin). Découpez grossièrement autour de chaque motif tracé. A l'aide du fer à repasser (chaud et vapeur), collez chaque partie de dessin sur les tissus adéquats. Découpez ensuite sur le trait.

Pour les pièces B, il sera nécessaire d'ajouter aux gabarits des marges de coutures de 7 mm (¼") arrondies à 15 mm (½") pour les deux.

- Dans la toile de lin beige unie:
  - 2 rectangles A de 19 x 24.5 cm (7 ½" x 9 ½"), 2 pièces B et 1 rond C de 6 cm (2 ½") de diamètre
- Dans la toile de lin écrue unie :
  - Le bonhomme de neige (la marge en bas du gabarit sera prise dans la couture finale) et la tête du bonhomme de neige sur le bouton
- Dans le coton gratté bleu ciel à petits carreaux :
  - L'écharpe des 2 bonhommes de neige
- Dans le coton gratté orange uni : - Le nez
- Dans le coton gratté marron foncé : - 2 yeux
- Dans le coton gratté marron clair uni :
  - Le tronc du sapin (la marge en bas du gabarit sera prise dans la couture finale)

Cutting:

The raw edge technique is used for all the appliqués. Do not add seam allowance to their templates. Each design element is transferred to the smooth side of the double-sided fusible web (check that it is the correct way). Loosely cut around each marked piece. With a hot iron and using steam, adhere each piece to fabric of sufficient size. Then cut on the marking.

A seam allowance of 7 mm (¼"), rounded to 15 mm (½") for two seams, must be added to the templates for the B pieces.

From the beige solid linen, cut the following:
- two 19 x 24.5 cm (7 ½" x 9 ½") A rectangles two B pieces
- one C circle 6 cm (2 ½") in diameter

From the ecru solid linen, cut the following:
- the snowman (the seam allowance on the template bottom will be enclosed in the final seam)
- the snowman head on the button

From the sky blue brushed cotton with small checks, cut the scarf for the two snowmen.

From the orange solid brushed cotton, cut the nose.

From the dark chestnut brown brushed cotton, cut two eyes.

From the light chestnut brown solid brushed cotton, cut the tree trunk (the seam allowance on the

- Dans le coton gratté vert clair à petits carreaux :
  - Les branches du sapin
- Dans le coton gratté rose uni :
  - 9 boules du sapin
- Dans le coton gratté beige faux uni pour la doublure de la pochette :
  - 2 rectangles A de 19 x 24.5 cm (7 ½" x 9 ½")

Réalisation :

Schéma 1 : Pour le devant du sac : Sur l'endroit d'un rectangle A de lin beige, appliquez le bonhomme de neige et le sapin à «bords francs» en suivant l'ordre numérique des gabarits. Otez la pellicule de papier du voile thermocollant doublant chaque élément. Fixez vos pièces au fer à repasser (chaud et vapeur). Réalisez un point de feston autour de chacune avec un fil à broder 2 brins de la même couleur que les tissus.

- Brodez :
- Avec un fil à broder blanc 2 brins, les yeux du bonhomme de neige au point de nœud.
- Avec un fil à broder blanc 5 brins, les petites étoiles (y compris celle de la joue du bonhomme) au point lancé.
- Avec un fil à broder vert 5 brins, les tiges en haut de la pochette au point arrière.

template bottom will be enclosed in the final seam).

From the light green brushed cotton with small checks, cut the tree branches.

From the pink solid brushed cotton, cut nine tree decorations.

From the beige semi-solid brushed cotton for the case lining, cut two 19 x 24.5 cm (7 ½" x 9 ½") A rectangles.

Making the case:

Diagram 1: For the bag front, on the right side of one A rectangle of beige linen, appliqué the snowman and the tree using the raw edge technique, following the numerical order of the templates. Remove the paper film from the fusible web lining each piece. Adhere your pieces with a hot iron, using steam. Sew around each piece in blanket stitch using two strands of embroidery floss in the same colour as the fabrics.

Embroider as follows:
with two strands of white embroidery floss, the snowman's eyes in French knot stitch
with five strands of white embroidery floss, the small stars (including the one on the snowman's cheek) in straight stitch

- Avec un fil à broder vert 5 brins, les feuilles en
  haut de la pochette au point de bouclette.
- Avec un fil à broder rose 5 brins, les baies en haut
  de la pochette au point de nœud.

Schéma 2 : Pour le bouton : Sur l'endroit du rond C,
reportez les lignes principales du motif à appliquer
en les centrant. Appliquez le petit bonhomme
de neige en le thermocollant (comme expliqué
plus haut) dans l'ordre numérique des gabarits.
Réalisez un point de feston autour de chaque pièce
avec un fil à broder 2 brins de la même couleur
que les tissus.
• Brodez :
- Avec un fil à broder marron 2 brins, les yeux du
  bonhomme au point de nœud.
- Avec un fil à broder orange 2 brins, le nez du
  bonhomme au point de passé plat.
- Avec un fil à broder vert 5 brins, les feuilles sur le
  col du bonhomme au point de bouclette.
- Avec un fil à broder rose 5 brins, la baie au centre
  des feuilles au point de nœud.

Recouvrez le bouton avec cette pièce C terminée.
**Les broderies apparaissent en gras sur les
  gabarits.**

with five strands of green embroidery floss, the
  stems at the case top in backstitch
with five strands of green embroidery floss, the
  leaves at the case top in lazy daisy stitch
with five strands of pink embroidery floss, the
  berries at the case top in French knot stitch

Diagram 2: For the button, on the right side of the C
  circle, transfer the outlines of the appliqué design,
  centring them. Appliqué the small snowman using
  your iron and the raw edge technique (explained
  above), following the numerical order of the
  templates. Sew around each piece in blanket
  stitch with two strands of embroidery floss in the
  same colour as the fabrics.
Embroider as follows:
with two strands of chestnut brown embroidery
  floss, the snowman's eyes in French knot stitch
with two strands of orange embroidery floss, the
  snowman's nose in satin stitch
with five strands of green embroidery floss, the
  leaves on the snowman's collar in lazy daisy stitch
with five strands of pink embroidery floss, the berry
  in the centre of the leaves in French knot stitch
Cover the button with this completed C piece.
Embroidery is shown in bold on the templates.

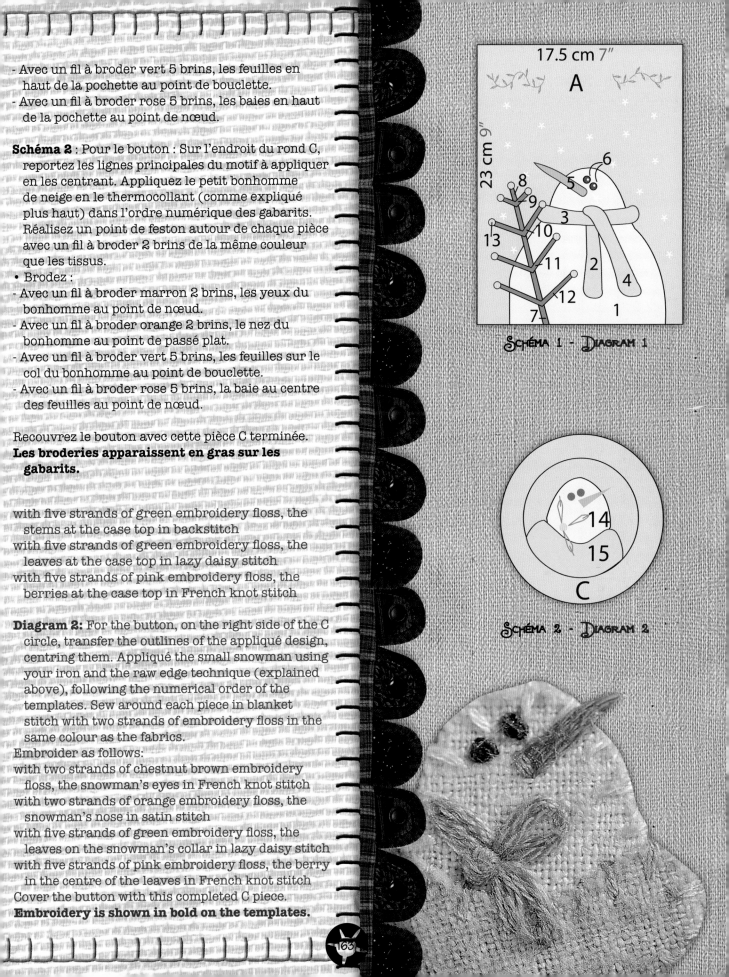

17.5 cm 7"

23 cm 9"

A

SCHÉMA 1 - DIAGRAM 1

C

SCHÉMA 2 - DIAGRAM 2

Réalisation (suite) :

Schéma 3 : Pour la patte de boutonnage, superposez les 2 pièces B l'une sur l'autre envers contre envers et bord à bord. Cousez tout le tour à 7 mm (¼") du bord en laissant ouvert le haut de la patte de boutonnage. Crantez les arrondis et retournez le travail sur l'endroit. Sur le repère central, incisez les deux épaisseurs et festonnez une boutonnière de 3 cm (1 ¼ ") avec un fil à broder 2 brins beige. Brodez le tour de la patte de boutonnage avec un fil à broder 5 brins beige au point avant en piquant dans les 2 épaisseurs et en laissant le haut ouvert.

Schéma 4 : Superposez le rectangle A en lin beige (avec le bonhomme de neige) sur un rectangle A en coton gratté beige faux uni, endroit contre endroit et bord à bord. Cousez le haut à travers les 2 épaisseurs à 7 mm (¼") du bord.

Schéma 5 : Faites de même avec le rectangle A en lin beige et le rectangle A de doublure

restant en insérant dans la couture la patte de boutonnage, tout en la centrant.

Schéma 6 : Superposez les deux morceaux obtenus, l'un sur l'autre endroit contre endroit et bord à bord (lin contre lin et coton gratté contre coton gratté). Positionnez la cordelière entre les deux parties en faisant sortir les extrémités sur 1 cm (⅜") de chaque côté, à la jonction droite et gauche du lin et du coton gratté. Cousez entre elles les épaisseurs sur tout le tour à 7 mm (¼") du bord en laissant une ouverture de 8 cm (3") sur la base de la doublure. Retournez le travail sur l'endroit et fermez entre l'ouverture à points cachés.

Schéma 7 : Rentrez la doublure en coton gratté dans la pochette en lin.

Schéma 8 : Cousez le bouton recouvert. Brodez avec un fil beige 5 brins, tout le tour de l'ouverture de la pochette au point avant.

5 cm 2"

9 cm 3 ½"

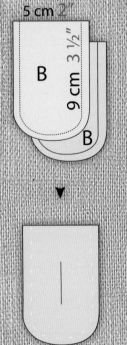

B

B

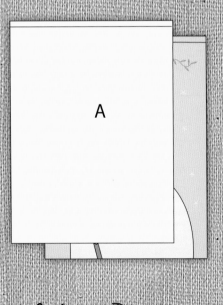

A

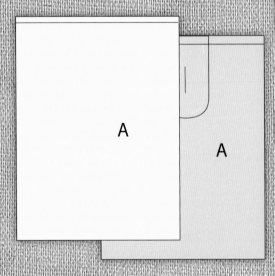

A

A

Schéma 3 - Diagram 3

Schéma 4 - Diagram 4

Schéma 5 - Diagram 5

Making the case (continued):

Diagram 3: For the button flap, layer the two B pieces one on top of the other with wrong sides together and edge to edge. Stitch all around at 7 mm (¼") from the edge, leaving the top of the button flap open. Clip the curves and turn the project to the right side. On the centre mark, slit the two layers and blanket stitch a 3 cm (1 ¼") buttonhole with two strands of beige embroidery floss. Sew all around the button flap with five strands of beige embroidery floss in running stitch, stitching through the two layers and leaving the top open.

Diagram 4: Layer the beige linen A rectangle (with the snowman) on one beige semi-solid brushed cotton A rectangle, right sides together and edge to edge. Stitch the top through the two layers at 7 mm (¼") from the edge.

Diagram 5: Repeat with the A rectangle in beige linen and the remaining A lining rectangle,

inserting the button flap in the seam, centring it.

Diagram 6: Layer the two pieces obtained, one on the other with right sides together and edge to edge (linen against linen and brushed cotton against brushed cotton). Position the cord between the two parts, extending the ends 1 cm (³⁄₈") on each side, where the linen and the brushed cotton meet on the right and left. Join the layers all around at 7 mm (¼") from the edge, leaving an opening of 8 cm (3") at the base of the lining. Turn the case to the right side and close the opening with concealed stitches.

Diagram 7: Turn the brushed cotton lining into the linen pocket.

Diagram 8: Attach the covered button. Embroider all around the case opening in running stitch with five strands of beige floss.

Schéma 6 - Diagram 6

Schéma 7 - Diagram 7

Schéma 8 - Diagram 8

23 cm 9"

17.5 cm 7"

Cordelière Cord

5 cm 2"

Patte de boutonnage
Button flap

9 cm 3 1/2"

B

droit fil
On grain

Gabarits à
taille réelle
Full size
templates

Tête
Head

14

15

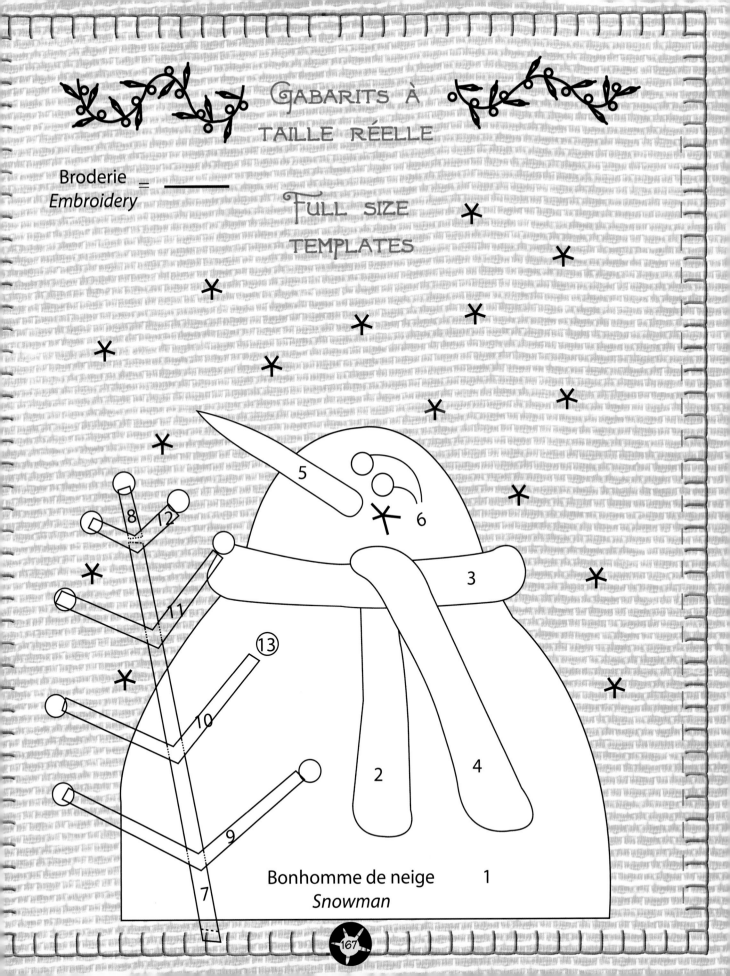

GABARITS À
TAILLE RÉELLE

Broderie = _____
Embroidery

FULL SIZE
TEMPLATES

5

6

3

8   12

11

2   4

13

10

9

7

Bonhomme de neige   1
Snowman

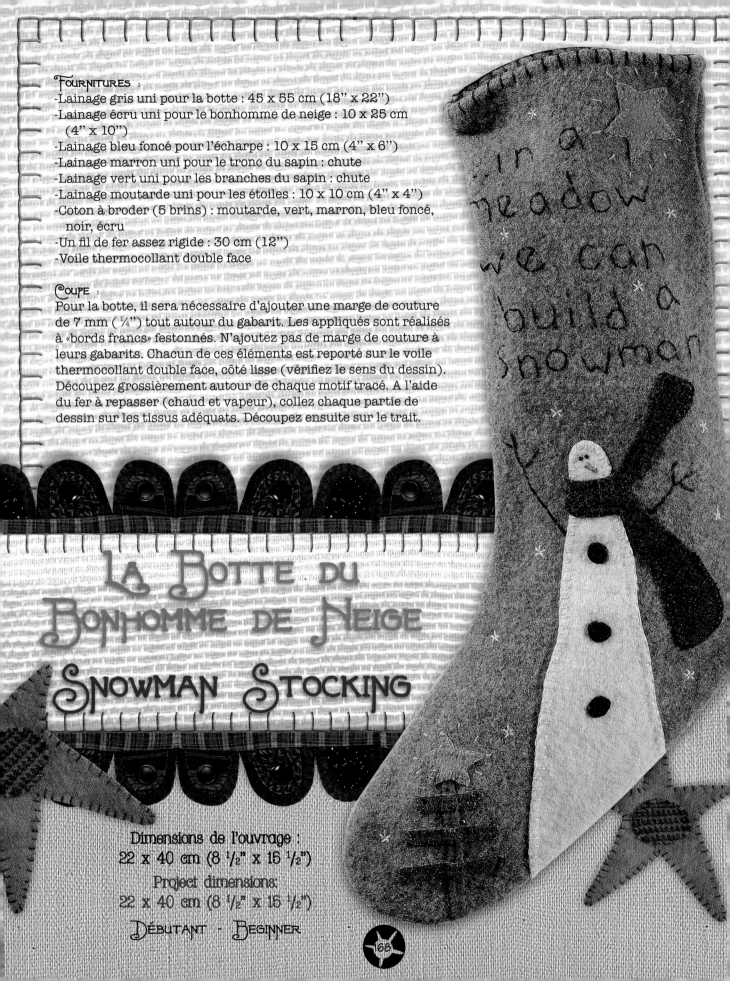

Fournitures :
- Lainage gris uni pour la botte : 45 x 55 cm (18" x 22")
- Lainage écru uni pour le bonhomme de neige : 10 x 25 cm (4" x 10")
- Lainage bleu foncé pour l'écharpe : 10 x 15 cm (4" x 6")
- Lainage marron uni pour le tronc du sapin : chute
- Lainage vert uni pour les branches du sapin : chute
- Lainage moutarde uni pour les étoiles : 10 x 10 cm (4" x 4")
- Coton à broder (5 brins) : moutarde, vert, marron, bleu foncé, noir, écru
- Un fil de fer assez rigide : 30 cm (12")
- Voile thermocollant double face

Coupe :
Pour la botte, il sera nécessaire d'ajouter une marge de couture de 7 mm (¼") tout autour du gabarit. Les appliqués sont réalisés à «bords francs» festonnés. N'ajoutez pas de marge de couture à leurs gabarits. Chacun de ces éléments est reporté sur le voile thermocollant double face, côté lisse (vérifiez le sens du dessin). Découpez grossièrement autour de chaque motif tracé. A l'aide du fer à repasser (chaud et vapeur), collez chaque partie de dessin sur les tissus adéquats. Découpez ensuite sur le trait.

La Botte du Bonhomme de Neige

Snowman Stocking

Dimensions de l'ouvrage :
22 x 40 cm (8 ½" x 15 ½")

Project dimensions:
22 x 40 cm (8 ½" x 15 ½")

Débutant - Beginner

168

- Dans le lainage gris uni :
  - Une botte et une botte en miroir (pièce retournée).
- Dans le lainage écru uni :
  - Le bonhomme de neige (la marge en bas de la pièce sera prise dans la couture finale de la botte)
- Dans le lainage bleu foncé :
  - L'écharpe
- Dans le lainage marron uni :
  - Le tronc du sapin (la marge en bas de la pièce sera prise dans la couture finale de la botte)
- Dans le lainage vert uni :
  - Les branches du sapin
- Dans le lainage moutarde uni :
  - Les étoiles

Réalisation :

Reportez-vous aux schémas de la botte «Père Noël» page 150.

Sur l'endroit d'une botte, appliquez le bonhomme de neige, le sapin et les étoiles à bords francs en suivant l'ordre numérique des gabarits : ôtez la pellicule de papier du voile thermocollant doublant chaque élément. Fixez vos pièces au fer à repasser. Réalisez un point de feston autour de chacune avec un fil à broder 3 brins de la même couleur que les lainages.

Brodez le texte au point arrière avec le fil noir (3 brins), le nez du bonhomme de neige et le scintillement des étoiles au point lancé avec le fil moutarde (3 brins), les petites étoiles au point lancé avec le fil écru (3 brins) et les bras du bonhomme au point arrière avec le fil marron (3 brins). Les broderies apparaissent en gras sur les gabarits.

Superposez le dos et le devant de la botte endroit contre endroit et cousez les épaisseurs à 7 mm (¼") du bord en laissant le haut ouvert. Retournez le travail sur l'endroit.

Faites un rentré de 7 mm (¼") en haut de la botte en insérant le fil de fer dans le repli. Brodez le tour au point de feston avec le fil noir 5 brins en veillant à emprisonner le fil de fer dans la broderie.

Materials:

Grey solid felted wool for the stocking: 45 x 55 cm (18" x 22")

Ecru solid felted wool for the snowman: 10 x 25 cm (4" x 10")

Dark blue felted wool for the scarf: 10 x 15 cm (4" x 6")

Chestnut brown solid felted wool for the tree trunk: scrap

Green solid felted wool for the tree branches: scrap

Mustard solid felted wool for the stars: 10 x 10 cm (4" x 4")

Embroidery floss (5 strands): mustard, green, chestnut brown, dark blue, black and ecru

Metal wire, somewhat rigid: 30 cm (12")

Double-sided fusible web

Cutting

A seam allowance of 7 mm (¼") must be added all around the template for the stocking. The raw edge technique is used for the appliqués. Do not add seam allowance to their templates. Each design element is transferred to the smooth side of the double-sided fusible web (check that it is the correct way). Loosely cut around each marked piece. With a hot iron and using steam, adhere each piece to fabric of sufficient size.
Then cut on the marking.

- From the grey solid felted wool, cut one stocking and one mirror image stocking (reversed piece).
- From the ecru solid felted wool, cut the snowman (the seam allowance at the bottom of the piece will be enclosed in the final seam of the stocking).
- From the dark blue felted wool, cut the scarf.
- From the chestnut brown solid felted wool, cut the tree trunk (the seam allowance at the bottom of the piece will be enclosed in the final seam of the stocking).
- From the green solid felted wool, cut the tree branches.
- From the mustard solid felted wool, cut the stars.

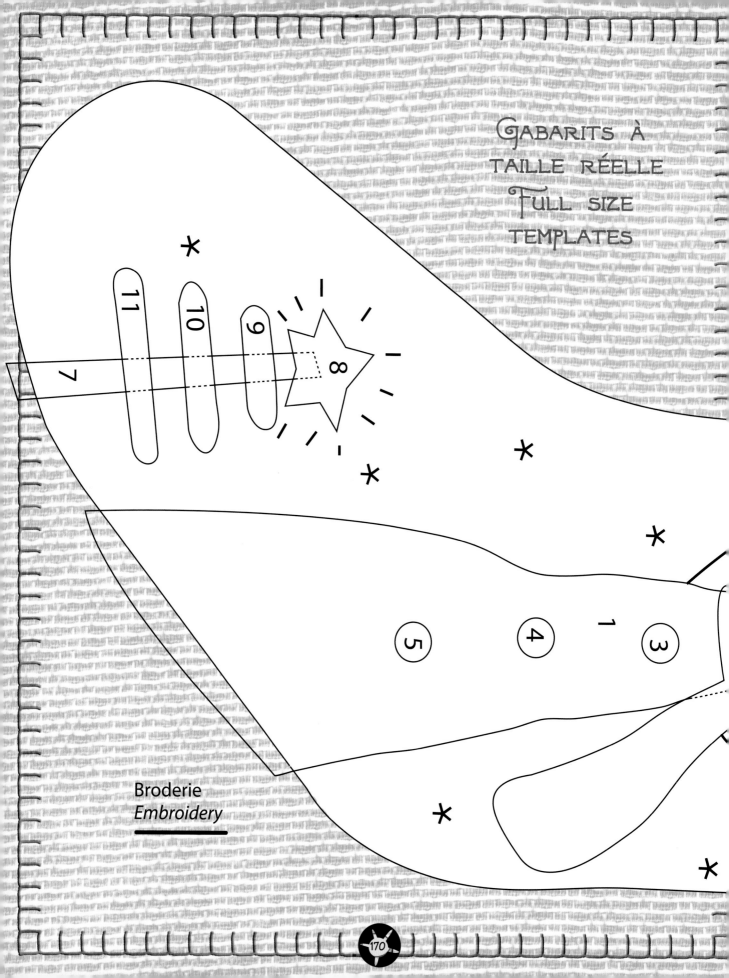

GABARITS À
TAILLE RÉELLE
FULL SIZE
TEMPLATES

11 10 9 8 7

5 4 1 3

Broderie
Embroidery

Making the stocking:

Refer to the diagrams for the Santa Claus stocking (p150).

On the right side of one stocking piece, applique the snowman, the fir tree and the star using the raw edge technique, following the numerical order of the templates; remove the paper film from the fusible web lining each element. Adhere your pieces with the iron. Sew around each piece in blanket stitch using three strands of embroidery floss in the same colour as the felted wool.

Embroider the wording in backstitch with three strands of the black floss, the snowman's nose and the twinkling of the stars in straight stitch with three strands of the mustard floss, the small stars in straight stitch with three strands of the ecru floss, and the snowman's arms in backstitch with three strands of the chestnut brown floss. Embroidery is shown in bold on the templates.

Layer the back and front of the stocking with right sides together and join the layers at 7 mm (¼") from the edge, leaving the top open. Turn the project to the right side.

Make a turn-under allowance of 7 mm (¼") on the top of the stocking, inserting the metal wire in the fold.

Embroider all around in blanket stitch with five strands of the black floss, making sure to enclose the metal wire in the embroidery.

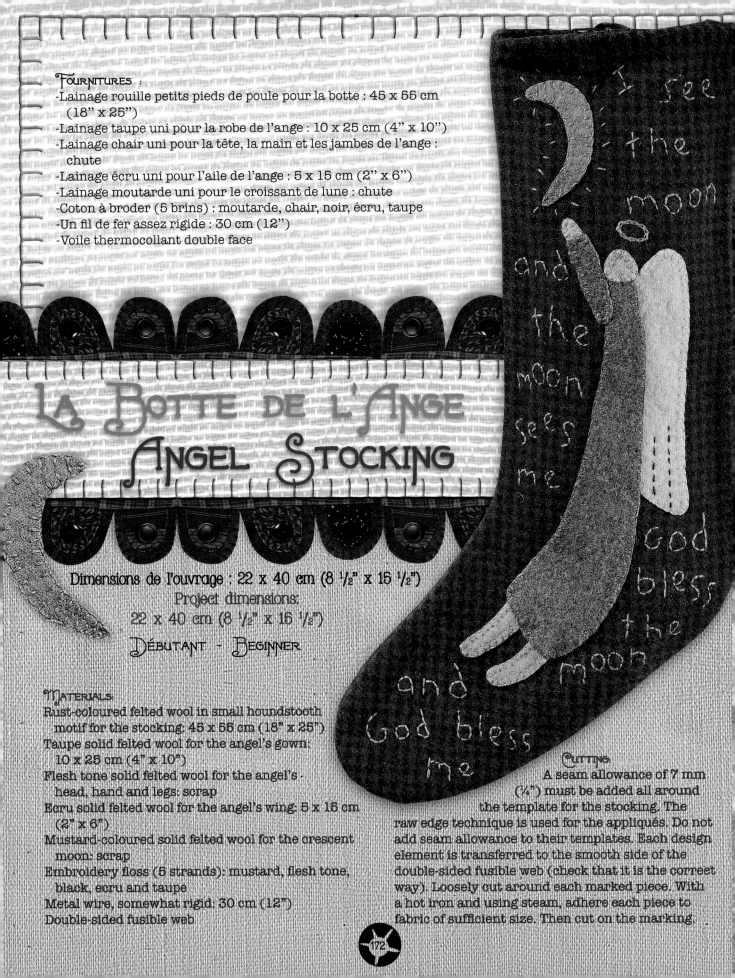

Fournitures :
-Lainage rouille petits pieds de poule pour la botte : 45 x 55 cm (18" x 25")
-Lainage taupe uni pour la robe de l'ange : 10 x 25 cm (4" x 10")
-Lainage chair uni pour la tête, la main et les jambes de l'ange : chute
-Lainage écru uni pour l'aile de l'ange : 5 x 15 cm (2" x 6")
-Lainage moutarde uni pour le croissant de lune : chute
-Coton à broder (5 brins) : moutarde, chair, noir, écru, taupe
-Un fil de fer assez rigide : 30 cm (12")
-Voile thermocollant double face

La Botte de l'Ange
Angel Stocking

Dimensions de l'ouvrage : 22 x 40 cm (8 ½" x 15 ½")
Project dimensions:
22 x 40 cm (8 ½" x 15 ½")

Débutant - Beginner

Materials:
Rust-coloured felted wool in small houndstooth motif for the stocking: 45 x 55 cm (18" x 25")
Taupe solid felted wool for the angel's gown: 10 x 25 cm (4" x 10")
Flesh tone solid felted wool for the angel's head, hand and legs: scrap
Ecru solid felted wool for the angel's wing: 5 x 15 cm (2" x 6")
Mustard-coloured solid felted wool for the crescent moon: scrap
Embroidery floss (5 strands): mustard, flesh tone, black, ecru and taupe
Metal wire, somewhat rigid: 30 cm (12")
Double-sided fusible web

Cutting:
A seam allowance of 7 mm (¼") must be added all around the template for the stocking. The raw edge technique is used for the appliqués. Do not add seam allowance to their templates. Each design element is transferred to the smooth side of the double-sided fusible web (check that it is the correct way). Loosely cut around each marked piece. With a hot iron and using steam, adhere each piece to fabric of sufficient size. Then cut on the marking.

Coupe :

Pour la botte, il sera nécessaire d'ajouter une marge de couture de 7 mm (¼") tout autour du gabarit. Les appliqués sont réalisés à «bords francs» festonnés. N'ajoutez pas de marge de couture à leurs gabarits. Chacun de ces éléments est reporté sur le voile thermocollant double face, côté lisse (vérifiez le sens du dessin). Découpez grossièrement autour de chaque motif tracé. A l'aide du fer à repasser (chaud et vapeur), collez chaque partie de dessin sur les tissus adéquats. Découpez ensuite sur le trait.

- Dans le lainage rouille petits pieds de poule :
  - Une botte et une botte en miroir (pièce retournée).
- Dans le lainage taupe uni :
  - La robe de l'ange
- Dans le lainage chair uni:
  - La tête, la main et les jambes de l'ange
- Dans le lainage écru uni :
  - L'aile de l'ange
- Dans le lainage moutarde uni :
  - Le croissant de lune

Réalisation :

Reportez-vous aux schémas de la botte «Père Noël» page 150.

Sur l'endroit d'une botte, appliquez l'ange et le croissant de lune à bords francs en suivant l'ordre numérique des gabarits : ôtez la pellicule de papier du voile thermocollant doublant chaque élément. Fixez vos pièces au fer à repasser (chaud et vapeur). Réalisez un point de feston autour de chacune avec un fil à broder 3 brins de la même couleur que les lainages.

Brodez le texte au point arrière avec le fil écru (3 brins), l'auréole de l'ange et le scintillement du croissant de lune au point lancé avec le fil moutarde (3 brins), les «plumes» de l'aile au point de devant avec le fil noir (3 brins). Les broderies apparaissent en gras sur les gabarits.

Superposez le dos et le devant de la botte endroit contre endroit et cousez les épaisseurs à 7 mm (¼") du bord en laissant le haut ouvert. Retournez le travail sur l'endroit.

Faites un rentré de 7 mm (¼") en haut de la botte en insérant le fil de fer dans le repli. Brodez le tour au point de feston avec le fil noir 5 brins en veillant à emprisonner le fil de fer dans la broderie.

- From the rust-coloured felted wool in small houndstooth motif, cut one stocking and one mirror image stocking (reversed piece).
- From the taupe solid felted wool, cut the angel's gown.
- From the flesh tone solid felted wool, cut the angel's head, hand and legs.
- From the ecru solid felted wool, cut the angel's wing.
- From the mustard solid felted wool, cut the crescent moon.

Making the stocking:

Refer to the diagrams for the Santa Claus stocking.

On the right side of one stocking piece, appliqué the angel and the crescent moon using the raw edge technique, following the numerical order of the templates; remove the paper film from the fusible web lining each element. Adhere your pieces with a hot iron, using steam. Sew around each piece in blanket stitch using three strands of embroidery floss in the same colour as the felted wool.

Embroider the wording in backstitch with three strands of the ecru floss, the angel's halo and the twinkling of the crescent moon in straight stitch with three strands of the mustard floss, and the wing's feathers in running stitch with three strands of the black floss. Embroidery is shown in bold on the templates.

Layer the back and front of the stocking with right sides together and join the layers at 7 mm (¼") from the edge, leaving the top open. Turn the project to the right side.

Make a turn-under allowance of 7 mm (¼") on the top of the stocking, inserting the metal wire in the fold.

Embroider all around in blanket stitch with five strands of the black floss, making sure to enclose the metal wire in the embroidery.

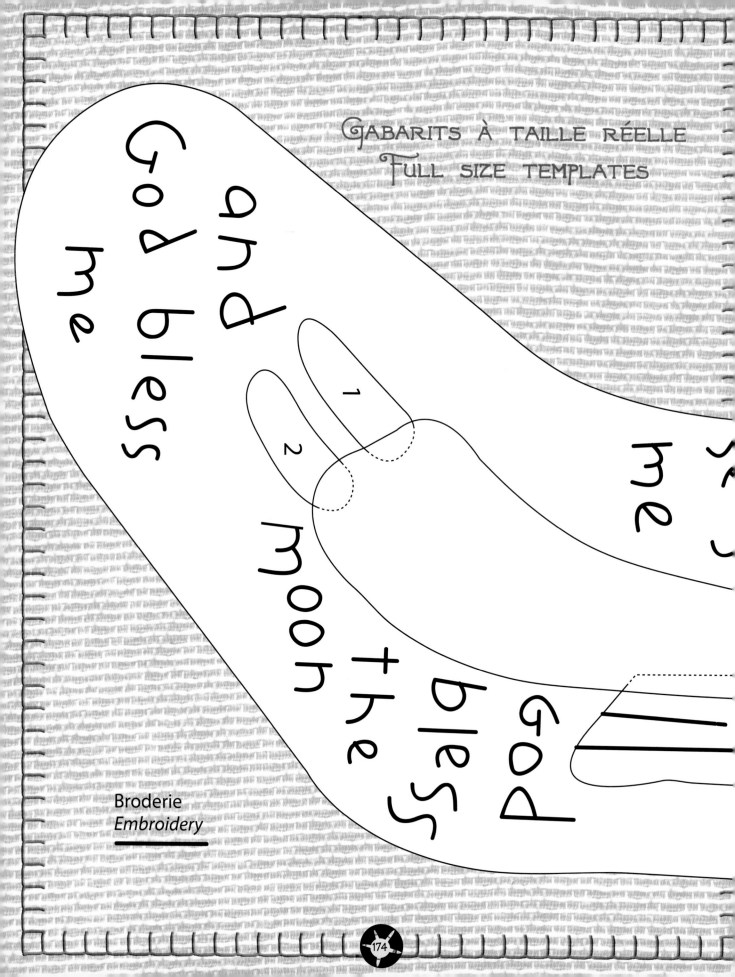

And
God bless
me

God bless
me

1

2

the moon

God bless

Broderie
Embroidery

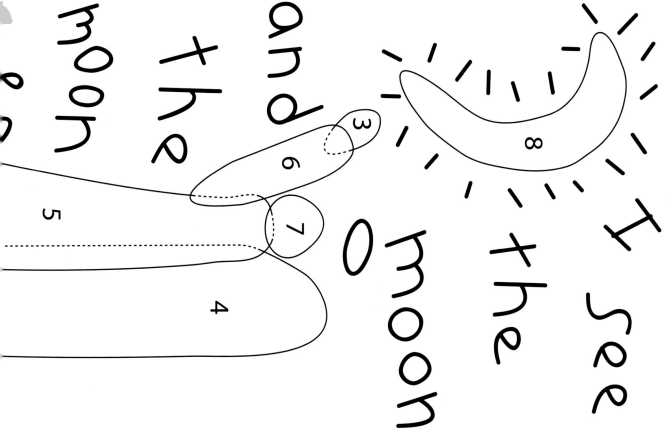

Directrice de la Publication/*Executive director*: Carol Veillon

Explications des modèles et schémas/*Contributing editors*: Sylvie Lefeuvre

Relecture/*Rereading*: Caroline Couturier

Traduction anglaise/*English translation*: Rita Pilon

Photographe/*Photography*: Guy Yoyotte-Husson

Mise en page, illustrations et exécution/*Design Layout*: Elodie Beillevert

Publié par/*Published by*

Quiltmania ©

La Castillerie - 44360 St-Etienne-de-Montluc - France

Tél. 02 40 86 86 86 - Fax. 02 40 85 92 01

E-mail: magazine@quiltmania.com

WWW.QUILTMANIA.COM

ISBN : 978-2-916182-69-8

Dépôt légal/*Legal issue*: 2ème trimestre 2012

Imprimé et relié par/Printed and bound by

KHL Printing Co. Pte Ltd

Singapour / Singapore